Verity

Obras da autora publicadas pela Editora Record:

Série Slammed
Métrica
Pausa
Essa garota

Série Hopeless
Um caso perdido
Sem esperança
Em busca de Cinderela

Série Nunca jamais
Nunca jamais
Nunca jamais: parte 2
Nunca jamais: parte 3

Série Talvez
Talvez um dia
Talvez agora

Série É Assim que Acaba
É assim que acaba
É assim que começa

O lado feio do amor
Novembro, 9
Confesse
Tarde demais
As mil partes do meu coração
Todas as suas (im)perfeições
Verity
Se não fosse você
Layla
Até o verão terminar
Uma segunda chance

COLLEEN HOOVER

Verity

Tradução de
Thaís Britto

40ª edição

Galera
RIO DE JANEIRO

2025

CIP-BRASIL. CATALOGAÇÃO NA PUBLICAÇÃO
SINDICATO NACIONAL DOS EDITORES DE LIVROS, RJ

	Hoover, Colleen
H759v	Verity / Colleen Hoover; tradução de Thaís Britto. – 40ª ed. –
40ª ed.	Rio de Janeiro: Galera Record, 2025.

Tradução de: Verity
ISBN 978-85-01-11784-7

1. Romance americano. I. Britto, Thaís. II. Título.

	CDD: 813
19-59833	CDU: 82-31(73)

Vanessa Mafra Xavier Salgado – Bibliotecária – CRB-7/6644

Título original norte-americano:
Verity

Texto revisado segundo o novo Acordo Ortográfico da Língua Portuguesa.

Direitos exclusivos de publicação em língua portuguesa somente para o Brasil adquiridos pela
EDITORA RECORD LTDA.
Rua Argentina, 171 – Rio de Janeiro, RJ – 20921-380 – Tel.: (21) 2585-2000,
que se reserva a propriedade literária desta tradução.

Impresso no Brasil

ISBN 978-85-01-11784-7

Atendimento e venda direta ao leitor
sac@record.com.br

Este livro é dedicado à única pessoa
a quem ele poderia ser dedicado.

Tarryn Fisher, obrigada por aceitar o lado sombrio
das pessoas na mesma medida em que
aceita a luz existente nelas.

1

Ouço o barulho do crânio se quebrando antes mesmo de o sangue respingar em mim.

Eu me assusto e dou um passo para trás, para a calçada. O salto de um dos meus sapatos fica preso no meio-fio e preciso me segurar na placa de PROIBIDO ESTACIONAR para não cair.

O homem estava na minha frente havia poucos segundos. Estávamos no meio da multidão esperando o sinal abrir quando ele resolveu atravessar antes da hora e acabou atingido por um caminhão. Eu tentei segurá-lo, mas só consegui agarrar o ar enquanto ele era atropelado. Fechei os olhos antes que o pneu do caminhão passasse por cima da cabeça dele, mas a ouvi estourar como se fosse uma rolha saindo de uma garrafa de champanhe.

Ele cometeu um erro. Ficou olhando a tela do celular, sem prestar atenção, provavelmente por já estar acostumado a atravessar aquela mesma rua todos os dias sem qualquer incidente. *Causa da morte: rotina.*

As pessoas suspiram, mas ninguém grita. O motorista do caminhão salta do veículo e imediatamente se ajoelha ao lado do corpo do homem. Prefiro me afastar da cena enquanto outras pessoas se aproximam para ajudar. Não preciso olhar o homem embaixo do pneu para saber que está morto. Basta olhar minha blusa que um dia foi branca — e todo o sangue respingado nela — para saber que ele precisa de um carro funerário e não de uma ambulância.

Tento sair dali e achar um lugar para respirar, mas agora o sinal está aberto para os pedestres, a multidão se movimenta, e é impossível nadar contra a corrente naquele mar de pessoas no meio de Manhattan. Algumas nem desviam os olhos dos celulares ao passar pelo acidente. Fico parada e espero a multidão se dispersar. Viro meu rosto de relance para o acidente, com o cuidado de não olhar diretamente para o homem. O motorista do caminhão agora está na parte de trás do veículo, falando ao telefone, com os olhos arregalados. Três ou quatro pessoas estão por ali ajudando. Alguns filmam aquela cena macabra com seus celulares, movidos por uma curiosidade mórbida.

Se eu ainda morasse na Virgínia, a cena seria completamente diferente. Todo mundo simplesmente ia parar. O pânico estaria instalado, as pessoas começariam a gritar, uma equipe de TV chegaria em questão de minutos. Mas atropelamentos são tão comuns em Manhattan que não passam de um inconveniente. Um atraso no trânsito para uns, *uma roupa estragada para outros.* Acontece com tanta frequência que nem vai sair no jornal.

Ainda que essa indiferença das pessoas me incomode, é exatamente o motivo de eu ter me mudado para esta cidade há dez anos. Pessoas como eu pertencem às grandes cidades. Minha vida é irrelevante num lugar desse tamanho. Há muita gente com histórias muito mais tristes do que a minha.

Aqui sou invisível. Desimportante. Manhattan tem gente demais para se preocupar comigo. E eu a amo por isso.

— Está machucada?

Olho para o homem que toca meu braço e observa minha blusa. Sua expressão é extremamente preocupada, e ele me olha da cabeça aos pés, procurando ferimentos. Pela reação, percebo que não é um desses nova-iorquinos sem coração. Pode até ser que more aqui agora, mas certamente vem de algum lugar que não lhe extraiu completamente a empatia.

— Está machucada? — repete ele, me olhando nos olhos desta vez.

— Não, não é meu sangue. Eu estava atrás dele quando...

Paro de falar. *Acabei de ver um homem morrer.* Estava tão perto dele que seu sangue está em mim.

Vim para esta cidade para ser invisível, mas certamente não sou insensível. Até venho tentando — a ideia é me tornar tão dura quanto o concreto onde piso. Mas ainda não deu muito certo. Consigo sentir tudo que acabei de testemunhar revirando no meu estômago.

Cubro a boca com a mão, mas logo a tiro ao sentir algo grudento em meus lábios. *Mais sangue.* Olho para minha blusa. É muito sangue, e nada disso é meu. Seguro a blusa e tento puxá-la na altura do peito, mas ela gruda nos pontos em que o sangue começou a secar.

Acho que preciso de água. Estou começando a me sentir meio tonta. Quero esfregar minha testa, coçar o nariz, mas tenho medo de tocar em mim mesma. Olho para o homem que ainda está segurando meu braço.

— Tem sangue no meu rosto?

Ele aperta os lábios e olha para o lado, checando os arredores. Aponta para uma cafeteria a poucos metros de distância.

— Ali tem um banheiro — diz ele, com a mão nas minhas costas, enquanto me conduz até lá.

Olho para o prédio da Pantem Press do outro lado da rua, para onde eu estava indo antes do acidente. Estava tão perto. A uns cinco ou seis metros de distância de uma reunião onde eu precisava desesperadamente estar.

Fico me perguntando o quão perto o homem que acabou de morrer estava do destino *dele.*

Assim que chegamos à cafeteria, o estranho segura a porta para eu entrar. Uma mulher carregando um café em cada mão tenta se espremer e passar por mim até que repara em minha blusa. Ela logo se afasta e abre caminho. Vou em direção ao banheiro feminino, mas a porta está trancada. O homem abre a porta do masculino e acena para que eu entre com ele.

Ele vai direto até a pia e abre a torneira. Olho para o espelho, aliviada. Não é tão ruim quanto imaginei. Há alguns respingos de sangue nas minhas bochechas que já estão começando a escurecer e secar, além de uma mancha na sobrancelha. Mas, por sorte, foi a blusa que levou a pior.

O homem me passa alguns papéis molhados e limpo meu rosto enquanto ele molha mais alguns. Agora consigo sentir o cheiro do sangue. Num turbilhão, aquele odor penetrante me leva de volta aos meus 10 anos de idade. O cheiro do sangue era tão forte que continua na minha memória depois de todos esses anos.

Aquilo me causa náusea e tento prender a respiração. Não quero vomitar. Mas preciso me livrar desta blusa. *Agora.*

Com os dedos trêmulos, abro os botões, tiro a blusa e a coloco embaixo da torneira. Deixo a água fazer todo o trabalho, pego mais papéis com o estranho e começo a limpar o sangue do meu peito.

Em vez de dar um pouco de privacidade para mim (e para meu sutiã nada atraente), o estranho tranca a porta para que ninguém entre e me veja sem camisa. É um excesso de cavalheirismo que me deixa um pouco desconfortável. Fico tensa olhando para ele pelo reflexo do espelho.

Alguém bate à porta.

— Já vamos sair — avisa ele.

Relaxo um pouco. Pelo menos há alguém do outro lado da porta para ouvir meus gritos, caso seja necessário.

Tento me concentrar no sangue até tirar tudo do pescoço e do peito. Eu me viro para dar uma olhada no cabelo, mas não encontro nada além das raízes escuras nascendo por baixo do caramelo desbotado.

— Toma — diz o homem, abrindo o último botão de sua camisa branca limpinha. — Vista isso.

O paletó dele já havia sido tirado, e agora está pendurado na porta. Ele me entrega a camisa de botão. Está com uma camiseta branca por baixo. O cara é forte e mais alto do que eu. A camisa dele vai me engolir. Não posso usar isso numa reunião, mas não tenho opção. Seco minha pele, visto a camisa e começo a abotoá-la. Estou ridícula, mas pelo menos não foi a minha cabeça que explodiu na blusa de alguém. *Sempre há um lado bom.*

Minha blusa não tem salvação. Eu a tiro da pia e a jogo no lixo. Então encaro meu reflexo no espelho. Dois olhos vazios e cansados me encaram de volta. Foram da cor de avelã ao castanho sombrio depois do horror que testemunharam. Esfrego as bochechas com as mãos para tentar lhes devolver alguma cor, mas nada feito. Minha cara é de morte.

Encosto na parede, de costas para o espelho. O homem está guardando a gravata no bolso do paletó e olha para mim por um momento.

— Não sei dizer se você está calma ou em estado de choque.

Não estou em choque, mas também não acho que esteja calma.

— Para ser sincera, nem eu tenho certeza — admito. — Você está bem?

— Estou ótimo. Já vi coisas piores, infelizmente.

Inclino a cabeça na tentativa de esmiuçar todas as camadas daquela resposta enigmática. Ele quebra o contato visual, mas isso só me faz encará-lo ainda mais, imaginando o que pode ser pior do que ver a cabeça de um homem ser esmagada embaixo de um caminhão. Talvez ele seja nova-iorquino, afinal de contas. Ou talvez trabalhe em um hospital. Ele tem um ar de eficiência que é bem comum em pessoas que são responsáveis por outras pessoas.

— Você é médico?

Ele faz que não com a cabeça.

— Trabalho no mercado imobiliário. Ou trabalhava.

Ele se aproxima e toca meu ombro, limpando algo da minha camisa. A camisa *dele*. Quando abaixa o braço, olha para o meu rosto por um momento antes de se afastar.

Seus olhos combinam com a gravata que acabou de guardar no bolso. *Chartreuse*, um verde brilhante. Ele é lindo, mas algo me diz que não gostaria de ser. Quase como se sua beleza fosse um empecilho. Uma parte dele que não quer ser notada. Ele quer ser invisível nesta cidade. *Igualzinho a mim*.

A maior parte das pessoas vem para Nova York para ser descoberta. O resto de nós vem pra se esconder.

— Qual é o seu nome?

— Lowen.

Ele hesita quando digo meu nome, mas dura poucos segundos.

— Jeremy — responde.

Ele caminha até a pia, abre a água novamente e começa a lavar as mãos. Continuo a encará-lo, sem conseguir esconder minha curiosidade. Como assim, ele já viu algo pior do que o acidente que acabamos de testemunhar? Ele disse que atuava no mercado imobiliário, mas nem o pior dia de trabalho de um corretor deixaria alguém tão melancólico.

— O que aconteceu com você?

Ele olha para mim pelo espelho.

— Como assim?

— Você disse que já viu coisas piores. Tipo o quê?

Ele fecha a torneira, seca as mãos e responde:

— Quer mesmo saber?

Assinto. Ele joga o papel na lixeira e depois enfia a mão no bolso. Seu comportamento fica ainda mais sombrio. Por fim, ele olha nos meus olhos, mas é como se tivesse se desligado desse momento.

— Há alguns meses resgatei o corpo da minha filha de 8 anos de um lago.

Inspiro o máximo de ar que me é possível e levo a mão à garganta. *Sua expressão não era de melancolia. Era de desespero.*

— Sinto muito — sussurro.

E sinto mesmo. Sinto muito pela filha. Sinto muito por ser curiosa.

— E você? — pergunta Jeremy.

Ele se inclina no balcão, como se aquela fosse uma conversa para a qual estivesse preparado. Uma conversa com alguém que faça suas tragédias parecerem menos trágicas. É o que se faz após experimentar uma coisa horrível. Buscar alguém como você... ou que esteja pior do que você... para tentar se sentir melhor.

Engulo em seco antes de responder, porque minhas tragédias não são nada comparadas ao que ele passou. Penso na mais recente, com vergonha de dizer em voz alta.

— Minha mãe morreu na semana passada.

Jeremy não reage à minha tragédia como reagi à dele. Na verdade, ele não tem nenhuma reação. Talvez estivesse esperando que a minha tragédia fosse pior.

Não é. *Ele ganhou.*

— Como ela morreu?

— Câncer. Vinha cuidando dela no meu apartamento durante o último ano — respondo. Ele é a primeira pessoa para quem conto isso em voz alta. Posso sentir os batimentos latejando em meu pulso, e o cubro com a outra mão. — Esta é a primeira vez que saio de casa em semanas.

Ficamos nos encarando por mais um tempo. Quero dizer mais alguma coisa, mas nunca tive uma conversa tão pesada com um completo estranho. E, afinal de contas, para onde mais essa conversa pode avançar?

Não avança. Simplesmente termina.

Ele olha para si mesmo no espelho, colocando uma mecha solta de seu cabelo escuro no lugar.

— Preciso ir para uma reunião. Tem certeza de que vai ficar bem? — pergunta Jeremy, olhando meu reflexo no espelho.

— Sim, está tudo certo.

— *Tudo certo*? — Ele se vira, repetindo a pergunta, como se "tudo certo" não significasse realmente que eu estou *bem*.

— Vai ficar tudo certo. Obrigada pela ajuda.

Queria que ele sorrisse, mas acho que não combina muito com o momento. Tenho curiosidade em saber como seria seu sorriso. Em vez disso, Jeremy encolhe os ombros e diz: "Então tudo certo." Destranca a porta e a segura para mim, mas eu não saio logo. Em vez disso, continuo olhando para seu rosto, ainda relutante em enfrentar o mundo lá fora. Admiro sua gentileza e quero dizer algo, agradecê-lo de alguma forma. Talvez com um café, ou devolvendo sua camisa. Fico atraída por seu altruísmo, algo raro hoje em dia. Mas é o brilho de sua aliança na mão esquerda que acaba me empurrando para fora do banheiro e do café, para o meio da rua agora ainda mais cheia e barulhenta.

Uma ambulância apareceu por ali e interrompeu o trânsito nos dois sentidos. Caminho de volta para o local do acidente, pensando se devo dar um depoimento. Espero ao lado de um policial que está anotando as versões de outras testemunhas. Não são diferentes da minha, mas, de qualquer forma, dou uma declaração e meus contatos. Não sei quanto posso efetivamente ajudar, já que não vi quando foi atingido. Estava perto o suficiente para ouvir. Perto o suficiente para que minha blusa ficasse parecendo um quadro do Pollock.

Olho para trás e vejo Jeremy saindo com um copo de café fresquinho nas mãos. Ele atravessa a rua, concentrado em seu destino. Sua mente agora está pensando em outra coisa, nada que tenha a ver comigo, provavelmente em sua esposa e no que vai dizer a ela quando chegar em casa sem a camisa.

Pego o celular para ver as horas. Ainda tenho quinze minutos antes da reunião com Corey e a editora da Pantem Press. Minhas mãos tremem ainda mais agora que não há um homem estranho me distraindo dos meus próprios pensamentos. Talvez um café ajude. Morfina *definitivamente* ajudaria, mas o serviço de cuidados paliativos levou tudo ao recolher os equipamentos após a morte da minha mãe. Pena que eu estava muito abalada para pensar em esconder. Seria bem útil agora.

2

Há meses não falava com Corey, más ontem à noite ele me mandou uma mensagem me chamando para a reunião de hoje. Eu estava sentada na mesa do computador, encarando uma formiga que andava pelo meu dedão do pé.

A formiga estava sozinha e andava de um lado para o outro, subia e descia, como se estivesse tentando achar os amigos ou alguma comida. Parecia confusa pela solidão. Ou talvez estivesse animada com a sensação de liberdade. Eu só conseguia me perguntar por que ela estava sozinha. Formigas andam sempre em bando.

Todo aquele questionamento sobre a situação da formiga só deixava claro que eu realmente precisava sair de casa. Depois de tanto tempo trancada cuidando da minha mãe, eu estava com medo de, ao sair pela porta, me ver tão confusa quanto aquela formiga. De um lado para o outro, *onde estão os amigos, onde está a comida?*

A formiga desceu do dedão até o piso de madeira. Desapareceu pela parede bem na hora que a mensagem de Corey chegou.

Esperava que ele tivesse entendido quando estabeleci limites há seis meses: não estamos mais transando, então o e-mail é a forma de contato mais apropriada entre um agente literário e sua autora. A mensagem dizia:

Me encontre amanhã às nove horas no prédio da Pantem Press, no 14° andar. Acho que temos uma proposta de trabalho.

Ele não perguntou sobre minha mãe, o que não me surpreendeu nem um pouco. Sua falta de interesse em qualquer coisa que não seja ele mesmo ou seu trabalho é o motivo de não estarmos mais juntos. Aquilo me deixou irritada. Ele não me deve nada, mas podia ao menos fingir que se importa.

Não respondi ontem à noite. Larguei o telefone e fui olhar o pequeno buraco na base da parede por onde a formiga havia desaparecido. Fiquei pensando se ela estava indo encontrar outras formigas ou se era uma solitária. Talvez fosse parecida comigo e tivesse aversão a outras formigas.

Não sei dizer por que tenho uma aversão tão paralisante a outros seres humanos. Se tivesse que apostar, diria que tem alguma relação com o fato de a minha própria mãe morrer de medo de mim.

"Morrer de medo" talvez seja uma expressão muito forte. Mas ela certamente não confiava em mim durante a minha infância. Se eu não estava na escola, ela sempre me mantinha afastada de todos, com medo do que eu seria capaz de fazer durante meus muitos episódios de sonambulismo. Aquela paranoia foi tomando conta de mim, até eu me tornar uma adulta condicionada. Uma solitária. Poucos amigos e quase nenhuma vida social. Não é à toa que esta é a primeira vez que saio de casa em semanas.

Achava que meu primeiro passeio depois de tanto tempo seria para algum lugar do qual sentia falta, como o Central Park ou alguma livraria.

Certamente não imaginei que estaria aqui, esperando no hall de uma editora, rezando desesperadamente para que essa tal proposta acontecesse e fosse suficiente para pagar meu aluguel e evitar que eu seja despejada. No entanto, aqui estou eu, a uma reunião de distância de virar uma sem-teto ou de receber uma proposta de trabalho e poder procurar uma casa nova.

Dou uma ajeitada na camisa branca que Jeremy me emprestou naquele banheiro do outro lado da rua. Espero que eu não esteja muito ridícula. Talvez consiga fingir bem, como se usar camisas masculinas com o dobro do meu tamanho fosse algum tipo de tendência de moda descolada.

— Bela camisa — diz alguém atrás de mim.

É a voz de Jeremy, e me viro chocada por vê-lo ali.

Ele está me seguindo?

Entrego minha carteira de motorista ao segurança e olho mais uma vez para Jeremy, agora reparando que ele está com uma camisa diferente.

— Você tem uma pilha de camisas reservas no bolso? — pergunto. Há poucos minutos ele me deu a que estava usando.

— Meu hotel fica a um quarteirão daqui. Voltei lá para me trocar.

Hotel. Isso é promissor. Se ele está num hotel, talvez não trabalhe aqui. Se não trabalha aqui, talvez não tenha nada a ver com o mercado editorial. Não sei bem por quê, mas não quero que ele seja do mercado editorial. Não tenho a menor ideia de quem vou encontrar nessa reunião, mas estou torcendo para não ter nada a ver com ele, depois da manhã agitada que tivemos.

— Então você não trabalha neste prédio?

Ele entrega a identificação para o segurança.

— Não, não trabalho aqui. Tenho uma reunião no 14° andar.

Claro que ele tem.

— Eu também.

Um sorriso tímido desponta em sua boca, mas logo desaparece, como se Jeremy tivesse se lembrado do que acabou de acontecer do outro lado da rua e pensado que ainda era muito cedo para sorrir.

— Quais são as chances de estarmos indo para a mesma reunião? — pergunta ele, pegando a identidade de volta enquanto nos dirigimos ao elevador.

— Não sei. Ainda não me disseram exatamente por que estou aqui.

Entramos no elevador e ele aperta o botão do 14° andar. Ele me encara, pega a gravata no bolso e começa a dar o nó.

Não consigo parar de olhar para sua aliança na mão esquerda.

— Você é escritora?

Respondo que sim com a cabeça.

— E você?

— Não. Mas a minha mulher é — responde ele enquanto termina de ajeitar a gravata. — Será que já li algo seu?

— Duvido. Ninguém lê meus livros.

Ele dá um sorrisinho.

— Lowen não é um nome muito comum. Tenho certeza de que consigo encontrar os livros que você escreveu.

Por que isso? Ele quer realmente ler meus livros?

Jeremy pega o celular e começa a digitar.

— Eu nunca disse que usava meu nome verdadeiro.

Ele não tira os olhos do celular até a porta do elevador abrir. Caminha até a porta e se vira para me encarar, sorrindo e me mostrando o telefone.

— Você não usa um pseudônimo. Escreve como Lowen Ashleigh, que, por incrível que pareça, é o nome da escritora que vou encontrar às nove e meia.

Finalmente vejo aquele sorriso e, por mais maravilhoso que seja, não quero ver novamente.

Ele deu um Google no meu nome. E, ainda que minha reunião seja às nove horas, ele parece saber mais sobre o assunto do que eu. Se realmente estivermos indo para a mesma reunião, nosso encontro ao acaso na rua me parece um tanto suspeito. Mas, pensando bem, a possibilidade de que estivéssemos no mesmo lugar na mesma hora não é tão absurda assim, já que estávamos indo na mesma direção, para a mesma reunião e que, portanto, testemunhamos o mesmo acidente.

Ele se afasta e saio do elevador. Abro a boca, me preparando para dizer algo, mas ele começa a andar para trás.

— Vejo você daqui a pouco.

Não sei nada sobre ele, nem qual é sua relação com a reunião para onde estou indo. No entanto, mesmo sem entender muito bem os detalhes do que está acontecendo, não consigo não gostar desse cara. Ele me deu a própria camisa. Não é possível que seja uma pessoa horrível.

Sorrio antes que ele dobre o corredor.

— Tudo certo. Te vejo daqui a pouco.

— Tudo certo — diz Jeremy, devolvendo o sorriso.

Fico olhando até que ele vira à esquerda e desaparece. Agora que estou fora de seu campo de visão, consigo relaxar um pouco. Que manhã... intensa. O acidente que acabei de ver e me esbarrar duas vezes com esse cara desconcertante me deixou meio estranha. Coloco a mão na parede para me apoiar. Só que...

— Chegou bem na hora — diz Corey.

Sua voz me dá um sobressalto. Olho para o lado e Corey vem andando em minha direção pelo corredor oposto. Ele se inclina, me dá um beijo na bochecha e meus músculos se enrijecem.

— Você nunca chega na hora.

— Eu ia chegar até mais cedo, mas...

Prefiro não explicar o que me atrasou. Além de não parecer interessado, ele segue na mesma direção para onde Jeremy foi.

— A reunião é só às nove e meia, mas como achei que você ia se atrasar, disse nove horas.

Paro, olhando para a parte de trás de sua cabeça. *Porra, Corey.* Se tivesse me dito nove e meia em vez de nove horas, eu não teria testemunhado o acidente do outro lado da rua. Sangue de um estranho não teria respingado em mim.

— Você vem? — pergunta, parando um minuto.

Escondo minha irritação. Já estou acostumada a fazer isso em relação a Corey.

Entramos numa sala de reunião vazia. Corey fecha a porta e me sento em uma das cadeiras. Ele se senta próximo de mim, na cabeceira da mesa, de modo a ficar me encarando. Tento não franzir o cenho enquanto dou uma boa olhada nele depois de tantos meses. Ele não mudou nada. Todo limpinho, arrumado, de gravata, óculos e sorrindo. Sempre fazendo um imenso contraste comigo.

— Você está com uma cara péssima — digo, porque ele não está nada péssimo. Ele nunca está e sabe disso.

— E você está com uma cara animada e encantadora.

Ele diz isso porque nunca estou animada ou encantadora. Sempre pareço cansada e constantemente entediada. Aquela coisa de "fazer carão" não é comigo, no máximo faço uma carinha de paisagem.

— Como está sua mãe?

— Morreu na semana passada.

Ele não estava esperando aquilo. Recosta-se na cadeira e reclina a cabeça.

— Por que não me contou?

Por que não perguntou antes?

— Ainda estou processando.

Minha mãe morou comigo durante os últimos nove meses, desde que foi diagnosticada com câncer de intestino em estágio quatro. Morreu na semana passada após três meses sob cuidados paliativos. Era difícil sair do apartamento nesses últimos meses porque ela dependia de mim para tudo: comer, beber, virar-se na cama. Quando começou a piorar, eu não podia sair do lado dela nunca, e é por isso que fiquei semanas sem colocar o pé para fora de casa. Por sorte, conexão Wi-Fi e um cartão de crédito tornam fácil viver uma vida inteira dentro de casa em Manhattan. Qualquer coisa de que você precise pode ser entregue.

É engraçado que uma das cidades mais populosas do mundo possa também ser um paraíso para os agorafóbicos.

— Você está bem? — pergunta Corey.

Disfarço meu incômodo com um sorriso, mesmo sabendo que a preocupação dele é mera formalidade.

— Estou bem. Já era esperado, isso ajuda.

Digo apenas o que ele quer ouvir. Não sei como ele reagiria à verdade — que estou aliviada por ela ter morrido. Minha mãe nunca me deu nada na vida além de culpa. Nada mais e nada menos. Apenas culpa pura e simples.

Corey vai até o balcão repleto de guloseimas, garrafas de água e café.

— Está com fome? Sede?

— Quero só uma água.

Ele pega duas garrafas de água, me dá uma e volta a se sentar.

— Precisa de ajuda com o testamento? Tenho certeza de que Edward poderia ajudar.

Edward é o advogado da agência literária de Corey. É uma agência pequena, então muitos dos autores acabam usando os conhecimentos de Edward para outras questões. Mas infelizmente não vou precisar. Quando aluguei um apartamento de dois quartos no ano passado, Corey tentou me avisar que eu não teria dinheiro para mantê-lo. Mas minha mãe insistiu em morrer com dignidade — ela queria que fosse em seu próprio quarto. Não num asilo. Não num hospital. Não numa cama de hospital no meio do meu conjugado apertado. Queria seu próprio quarto, com suas coisas.

Segundo ela, as economias que restavam na conta bancária seriam suficientes para me restabelecer depois de sua morte e de todo o tempo que fiquei sem trabalhar. Ao longo do último ano, vivi com o restinho do adiantamento que ainda havia sobrado após o último livro. Mas essa grana já acabou e, aparentemente, o tal dinheiro na conta bancária da minha mãe nunca existiu. Foi uma das últimas coisas que ela me confessou antes de enfim sucumbir à doença. Eu teria cuidado dela independentemente da situação financeira. Era a minha mãe. Mas o fato de precisar mentir para me convencer mostra o quanto estávamos desconectadas.

Bebo um gole da água e balanço a cabeça.

— Não preciso de um advogado. Ela só me deixou dívidas. Mas obrigada por oferecer.

Corey aperta os lábios. Ele é meu agente literário, é quem me manda os cheques de direitos autorais, então conhece minha situação financeira. E é por isso que me encara com um olhar de pena.

— Em breve você vai receber um cheque estrangeiro de direitos autorais.

Como se eu não soubesse de cada centavo que tenho para receber nos próximos seis meses. *Como se já não tivesse gastado tudo de antemão.*

— Eu sei. Vou ficar bem.

Não quero falar sobre meus problemas financeiros com Corey. Ou com ninguém.

Ele encolhe os ombros, pouco convencido. Olha para baixo e ajeita a gravata.

— Tomara que seja uma boa proposta — comenta.

Estou aliviada com a mudança de rumo da conversa.

— Por que viemos encontrar pessoalmente essa editora? Sabe que prefiro negociar por e-mail.

— Eles pediram essa reunião ontem. Falaram que têm um trabalho para discutir com você, mas não quiseram dar detalhes por telefone.

— Pensei que você estava tentando fechar um novo contrato com a minha editora atual.

— Seus livros até vendem bem, mas não o suficiente para assinar um novo contrato. Eles querem que você se dedique mais. Você tem que concordar em ser ativa nas redes sociais, fazer turnês, construir uma base de fãs. Só suas vendas não são o bastante para o mercado de hoje.

Era o que eu temia. Uma renovação de contrato com minha atual editora era minha última esperança financeira. Os cheques de direitos autorais dos livros anteriores minguaram junto com as vendas. Não escrevi quase nada nesse último ano em que cuidei da minha mãe, então não tenho nada para oferecer à editora.

— Não tenho a menor ideia de qual é a proposta da Pantem. Também não sei se você vai se interessar. Vamos ter que assinar um contrato de confidencialidade antes mesmo de nos darem mais detalhes. Mas esse mistério todo me deixou curioso. Estou tentando baixar as expectativas, mas são muitas possibilidades em jogo e estou com um bom pressentimento. A gente precisa disso.

Ele diz "a gente" porque, qualquer que seja a oferta, ele fica com 15% se eu aceitar. É o padrão agente/autor. O que *não é* padrão agente/autor é o relacionamento de seis meses que tivemos e os dois anos de sexo que se seguiram depois que terminamos.

A parte do sexo durou dois anos porque ele não estava ficando com ninguém a sério, e eu também não. Foi conveniente até não ser mais. Mas a razão pela qual o relacionamento *de verdade* durou apenas seis meses foi porque ele estava apaixonado por outra mulher.

Tudo bem que a outra mulher era eu.

Deve ser muito confuso se apaixonar pelas palavras de um escritor antes mesmo de conhecê-lo. Algumas pessoas têm dificuldade em separar o personagem do indivíduo que o criou. Surpreendentemente, apesar de ser um agente literário, Corey é uma dessas pessoas. Ele se apaixonou pela protagonista do meu primeiro romance, *Em aberto*. Imaginou que a personalidade dela fosse reflexo da minha quando, na verdade, eu não poderia ser mais diferente.

Corey foi o único agente que respondeu a minha mensagem. Ainda assim, levou meses. O e-mail dele tinha poucas linhas, mas foi o suficiente para reavivar minhas esperanças:

> Li seu manuscrito, Em aberto, em poucas horas. Acredito neste livro. Se ainda estiver precisando de um agente, me ligue.

O e-mail chegou numa quinta de manhã. Duas horas depois já estávamos tendo uma conversa profunda sobre o enredo por telefone. Na sexta à tarde, nos encontramos para um café e assinamos o contrato.

No sábado à noite, já tínhamos transado três vezes.

Certamente nosso relacionamento feriu algum tipo de código de ética, mas não sei se foi por isso que durou tão pouco. Assim que Corey percebeu que eu não era a inspiração para minha personagem, entendeu que não éramos compatíveis. Eu não era uma heroína. Eu não era simples. Eu era, na verdade, bem complicada. Um quebra-cabeça emocional desafiador que ele não estava disposto a desvendar.

E tudo bem. Eu não estava mesmo querendo ser desvendada.

Estar em um relacionamento com ele era difícil, mas ser sua cliente era inesperadamente fácil. Por isso decidi continuar na mesma agência depois do término. Ele continuou sendo leal e imparcial em relação à minha carreira.

— Você parece exausta — diz Corey, me desviando dos meus pensamentos. — Está nervosa com a reunião?

Concordo com a cabeça, esperando que ele se convença disso. Não estou com a mínima vontade de explicar por que estou exausta. Saí de casa duas horas atrás, mas parece que foi há um ano. Confiro minhas mãos e braços procurando traços de sangue. Não está mais lá, mas ainda posso sentir. *Sinto o cheiro.*

Minhas mãos ainda estão tremendo, por isso as escondo debaixo da mesa. Agora que estou aqui me dou conta de que não devia ter vindo. Mas não posso deixar passar um contrato em potencial. Não estão chovendo ofertas e, se não fechar algo logo, vou ter que procurar um emprego "normal". E, se tiver um emprego, não terei tempo nenhum para escrever. Mas ao menos vou conseguir pagar minhas contas.

Corey tira um lenço do bolso e limpa o suor da testa. Ele só sua quando está nervoso. O fato de ele estar nervoso está me deixando mais nervosa.

— Temos que combinar um sinal secreto para o caso de você não estar interessada?

— Vamos ouvir o que eles têm a dizer e depois pedimos para conversar em particular.

Corey aperta a caneta e se ajeita na cadeira como se estivesse se preparando para uma batalha.

— Deixa que eu falo.

Não pretendia fazer diferente. Ele é carismático e charmoso. Essas não são características que alguém atribuiria a mim. É melhor eu só ficar assistindo e ouvindo.

— *O que é isso que você está vestindo?*

Corey está perplexo com minha camisa, que ele só notou agora, apesar de ter passado os últimos quinze minutos comigo.

Olho para a camisa enorme. Por um momento tinha me esquecido do quão ridícula eu estava.

— Derramei café mais cedo e tive que trocar a camisa.

— De quem é essa camisa?

Encolho os ombros.

— Talvez seja sua. Estava no meu armário.

— Saiu de casa com isso? Não tinha nada melhor para vestir?

— Não acha que estou na moda? — pergunto, sendo sarcástica, mas ele não percebe. Faz uma cara feia.

— Não. A ideia era essa?

É um babaca mesmo. Mas é ótimo na cama, como a maioria dos babacas.

É um alívio quando a porta se abre e uma mulher entra na sala. Logo atrás dela, de forma meio cômica, vem um homem mais velho. De tão próximo a ela, ele esbarra em suas costas quando a mulher para.

— Droga, Barron — ouço-a murmurar.

Dou um pequeno sorriso ao pensar que "Droga Barron" podia ser seu nome.

Jeremy entra por último. Ele acena para mim sutilmente, e ninguém mais percebe.

A mulher está mais bem-vestida do que eu estaria em meus melhores dias, tem um cabelo preto curto e seu batom é tão vermelho que parece meio exagerado para as nove da manhã. Ela parece ser a pessoa que manda ali. Aperta a mão de Corey e depois a minha, enquanto Droga Barron observa.

— Sou Amanda Thomas, editora na Pantem Press. Estes são Barron Stephens, nosso advogado, e Jeremy Crawford, nosso cliente.

Jeremy e eu apertamos as mãos. Ele é ótimo em fingir que não compartilhamos uma manhã extremamente bizarra. Senta-se bem de frente para mim. Tento não olhar para ele, mas parece que meus olhos não querem ir para outro lugar. Não sei por que, mas estou mais curiosa em saber sobre ele do que sobre esta reunião.

Amanda retira alguns documentos de sua pasta e os alcança para mim e Corey.

— Obrigada por virem nos encontrar hoje — diz ela. — Não queremos desperdiçar seu tempo, então vou direto ao assunto: uma de nossas autoras está impossibilitada de cumprir seu contrato por questões médicas e estamos em busca de alguém com experiência no mesmo gênero para escrever os três livros restantes de sua série.

Olho para Jeremy, mas sua expressão impassível não me revela nada sobre seu papel naquela reunião.

— Quem é a autora? — pergunta Corey.

— Podemos discutir todos os detalhes, mas preciso que assinem um contrato de confidencialidade. Queremos manter a situação da autora fora da mídia.

— É claro — concorda Corey.

Concordo, mas não digo nada enquanto olhamos e assinamos os formulários. Corey os devolve a Amanda.

— O nome dela é Verity Crawford. Tenho certeza de que conhecem seu trabalho.

Corey empalidece ao ouvir o nome de Verity. *É claro* que conhecemos seu trabalho. Todo mundo conhece. Eu me viro para Jeremy. *Verity é a mulher dele?* Eles têm o mesmo sobrenome. Ele mencionou que a mulher é escritora. Mas por que estaria numa reunião sobre ela? Se nem mesmo ela está aqui?

— Conhecemos o nome, sim — disfarça Corey, escondendo o jogo.

— Verity tem uma série de muito sucesso e não queremos de jeito nenhum que fique inacabada — continua Amanda. — Nosso objetivo é contratar um escritor que concorde em assumir a história, terminar a série e participar de turnês, divulgação para a imprensa, tudo o que Verity faz normalmente. Vamos divulgar um comunicado para apresentar o novo coautor e, ao mesmo tempo, preservar ao máximo a privacidade de Verity.

Turnês? Divulgação para a imprensa?

Corey está me olhando. Ele sabe que não gosto dessa parte. Muitos autores são ótimos na interação com leitores, mas sou tão esquisita que é capaz de os leitores desistirem dos meus livros para sempre após me conhecerem pessoalmente. Só tive uma noite de autógrafos na vida, e não dormi por uma semana antes dela. Estava tão aterrorizada durante os autógrafos que não conseguia nem falar. No dia seguinte recebi um e-mail de uma leitora dizendo que fui esnobe com ela, e que nunca mais leria meus livros.

É por isso que só fico em casa escrevendo. A ideia que fazem de mim é muito melhor do que a realidade.

Corey fica calado e começa a olhar os papéis de Amanda.

— E qual será o adiantamento da Sra. Crawford pelos três livros?

É Droga Barron quem responde a essa pergunta:

— Os detalhes do contrato de Verity com a editora seguem os mesmos e, portanto, não serão divulgados. Os direitos autorais continuam pertencendo a Verity. Mas meu cliente, Jeremy Crawford, está disposto a oferecer um pagamento de 75 mil dólares por livro.

Meu estômago dá um salto ao ouvir o valor do montante. Mas a animação vai embora assim que me dou conta da enormidade disso tudo. Deixar de ser uma escritora Zé-Ninguém para ser a coautora de um fenômeno literário é um passo muito grande para mim. Já começo a sentir a ansiedade me consumindo só de pensar.

Corey se inclina para a frente, colocando os braços na mesa.

— Imagino que esse valor seja negociável.

Tento atrair a atenção de Corey. Quero dizer a ele que a negociação não é necessária. Não há a menor chance de aceitar escrever três livros e depois não conseguir terminar por estar nervosa demais.

Droga Barron se ajeita na cadeira.

— Com todo respeito, Verity Crawford passou mais de uma década construindo sua marca. Uma marca que não existiria de outra maneira. A proposta não é pelos três livros. São 75 mil dólares por cada um, o que dá um total de 225 mil dólares.

Corey coloca a caneta em cima da mesa e se recosta na cadeira, aparentando estar pouco impressionado.

— E qual é o prazo para a entrega dos textos?

— Já estamos atrasados, então seria bom ter o primeiro livro seis meses depois da assinatura do contrato.

Não consigo parar de olhar o batom vermelho em seus dentes enquanto ela fala.

— O prazo para os outros dois livros é negociável. Gostaríamos, no entanto, que o contrato fosse completado nos próximos 24 meses.

Posso sentir que Corey está fazendo as contas. Só tenho dúvidas se ele está calculando apenas a parte dele ou a minha parte também. Corey ficaria com 15%. É quase 34 mil dólares, só para me representar aqui nesta reunião. Metade seria para pagar impostos. Eu ficaria com um pouco menos de 100 mil na conta. Ou seja, 50 mil dólares por ano.

É mais do que o dobro do adiantamento que recebi por meus livros anteriores. Mas não é o suficiente para me convencer a embarcar numa série de tanto sucesso. A conversa continua inutilmente porque já sei que vou recusar. Quando Amanda mostra o contrato oficial, limpo a garganta e começo a falar.

— Agradeço a oferta — digo olhando diretamente para Jeremy para mostrar minha sinceridade. — Agradeço de verdade. Mas se estão procurando alguém para ser o novo rosto da série, tenho certeza de que há outros autores que se encaixariam melhor nesse papel.

Jeremy não diz nada, mas está me encarando com um rosto muito mais curioso do que antes de eu falar. Eu me levanto, pronta para sair. Estou decepcionada com o resultado da reunião, mas ainda mais porque meu primeiro dia fora de casa foi um desastre de todas as maneiras. Preciso ir para casa e tomar um banho.

— Gostaria de conversar com minha cliente por um momento — intervém Corey, levantando-se rapidamente.

Amanda concorda, fechando a pasta enquanto também se levanta.

— Estamos de saída. Os termos do contrato estão detalhados nestes papéis. Temos outros dois autores em mente para este trabalho caso não estejam interessados, então por favor nos deem uma resposta até no máximo amanhã à tarde.

Jeremy é o único que permanece sentado. Ele não disse uma única palavra. Amanda se inclina para apertar minha mão.

— Se tiver qualquer dúvida, por favor, entre em contato. Estou à disposição para ajudar.

— Obrigada.

Amanda e Droga Barron saem da sala, mas Jeremy continua com sua atenção voltada para mim. Corey olha para ele, esperando que Jeremy saia.

Em vez disso, Jeremy se inclina, olhando para mim.

— Será que podemos falar em particular? — pergunta.

Ele olha para Corey, mas não está pedindo permissão. É mais um aviso para sair mesmo.

Corey encara Jeremy, meio desarmado por aquele pedido inusitado. Pelo jeito que vira a cabeça devagar para mim e semicerra os olhos, está querendo que eu diga não. É como se falasse: "Dá para acreditar nesse cara?"

Mas ele não sabe que tudo o que quero é ficar sozinha na sala com Jeremy. Queria mesmo que todos saíssem, especialmente Corey, porque tenho muitas perguntas a fazer. Sobre sua esposa, sobre como chegaram até mim, e por que ela não pode terminar a série.

— Tudo bem — respondo a Corey.

A veia em sua testa chega a pulsar enquanto ele tenta disfarçar a irritação. Sua mandíbula trava, mas ele concorda e sai da sala de reunião.

Agora somos só Jeremy e eu.

De novo.

Se contarmos o elevador, essa é a terceira vez que estamos a sós num cômodo desde que nos conhecemos pela manhã. Mas essa é a primeira vez em que sinto um nervosismo no ar. Tenho certeza de que é todo meu. Jeremy parece tão calmo quanto estava há menos de uma hora, ao me ajudar a tirar os pedaços de um cara morto da minha pele.

Ele se recosta na cadeira e põe as mãos no rosto.

— Nossa, essas reuniões com editores são sempre tão sisudas?

Rio por dentro.

— Não sei. Normalmente faço essas coisas por e-mail.

— Entendo o porquê.

Ele se levanta e pega uma garrafa de água. Talvez seja porque agora estou sentada e ele é tão alto, mas não me lembro de ter me sentido tão pequena em sua presença antes. Saber que ele é casado com Verity Crawford me deixa mais intimidada do que ficar de sutiã na sua frente.

Ele se recosta no balcão, cruzando os tornozelos.

— Está tudo bem? Você não teve muito tempo para lidar com o que aconteceu lá fora antes de vir para cá.

— Você também não.

— Está tudo certo. — *Lá vem ele com essa expressão de novo.* — Imagino que você tenha perguntas.

— Um monte.

— O que quer saber?

— Por que sua esposa não pode terminar a série?

— Ela sofreu um acidente de carro.

Sua resposta é mecânica, como se estivesse fazendo um esforço para se desconectar de qualquer emoção.

— Desculpe. Não sabia — respondo e mudo de posição na cadeira sem saber o que mais dizer.

— A princípio não gostei muito dessa ideia de outra pessoa terminar o contrato. Tinha esperanças de que ela se recuperaria totalmente. Mas... aqui estamos nós.

Sua atitude agora faz todo sentido. Ele parecia um cara calmo e reservado, mas agora percebo que aquela quietude era apenas tristeza. Um tristeza evidente. Não sei se é por causa do que aconteceu com a esposa, ou se é o caso que me contou mais cedo no banheiro — ter perdido a filha há meses. Mas claramente este é um homem que está perdido e precisa tomar decisões mais difíceis do que a maioria das pessoas já teve que tomar na vida.

— Sinto muito mesmo.

Ele assente e volta a se sentar. Talvez pense que ainda estou considerando a oferta. Não quero mais desperdiçar o tempo dele.

— Agradeço a proposta, Jeremy, mas não é algo que me deixe confortável. Sou péssima com publicidade. Nem sei por que a editora pensou em mim para esse trabalho.

— *Em aberto*.

Meu sangue gela quando ele menciona um dos meus livros.

— Era um dos livros favoritos da Verity.

— Sua mulher leu um dos meus livros?

— Ela dizia que você seria o próximo fenômeno literário. Fui eu quem sugeriu seu nome para a editora, porque Verity acha que vocês têm estilos de escrita similares. Se alguém vai assumir a série dela, quero que seja alguém cujo trabalho ela respeita.

— Nossa, estou muito lisonjeada. Mas... realmente não posso.

Jeremy me olha em silêncio, provavelmente tentando imaginar por que não estou reagindo como qualquer outro escritor faria diante dessa oportunidade. Ele não consegue me entender. Normalmente, eu ficaria orgulhosa disso. Não gosto que as pessoas me entendam facilmente, mas neste caso parece errado. Deveria ser um pouco mais sincera, já que ele foi tão educado comigo hoje de manhã. Mas nem sei por onde começar.

Ele se inclina para a frente, seus olhos cheios de curiosidade. Olha para mim por um momento, apoia a mão na mesa e se levanta. Interpretando que isso significava o fim da reunião, começo a me levantar também, mas Jeremy não vai até a porta. Em vez disso, anda até uma parede cheia de prêmios emoldurados. Eu me sento novamente. De costas para mim, Jeremy olha os prêmios, e só quando passa a mão por um deles percebo que pertence a Verity. Ele suspira e olha para mim novamente.

— Já ouviu falar em "pessoas crônicas"?

Faço que não com a cabeça.

— Acho que Verity criou esse termo. Depois que nossas filhas morreram, disse que somos "crônicos". Pessoas com tendência à tragédia contínua. Uma coisa horrível atrás da outra.

Olho para ele por um momento, confusa. Ele disse mais cedo que havia perdido uma filha, mas agora está usando a palavra no plural.

— Filhas?

Ele respira fundo. Expira totalmente derrotado.

— Sim. Gêmeas. Chastin morreu seis meses antes de Harper. Foi...

Ele não parece mais tão desconectado das emoções quanto antes. Passa a mão pelo rosto e volta a se sentar.

— Algumas famílias têm a sorte de não viver nenhuma tragédia. Mas, para outras, é como se tivesse uma tragédia aguardando a cada esquina. Tudo o que pode dar errado dá. E depois fica ainda pior.

Não sei por que está me contando isso, mas não o questiono. Gosto de ouvi-lo falar, ainda que as palavras sejam terríveis.

Ele gira a garrafa de água em cima da mesa, perdido em pensamentos. Talvez não tenha pedido para ficar sozinho comigo porque queria me fazer mudar de ideia. Talvez só quisesse mesmo ficar sozinho. Talvez não aguentasse mais discutir sobre a vida da mulher naqueles termos, e por isso mandou todos embora. Acho que ficar sozinho comigo numa sala é, para ele, como ficar sozinho consigo mesmo.

Ou, talvez, Jeremy sempre se sinta sozinho. Como nosso antigo vizinho, que, pelo que entendi, sem dúvida também era um "crônico".

— Eu cresci em Richmond. Nosso vizinho perdeu três membros da família em menos de dois anos. O filho morreu em combate. A mulher morreu de câncer seis meses depois. Por fim, a filha morreu em um acidente de carro.

Jeremy para de girar a garrafa.

— Onde está esse homem agora?

Fico nervosa. Não estava esperando essa pergunta.

A verdade é que ele não aguentou perder todas as pessoas importantes de sua vida. Ele se matou alguns meses após a morte da filha. Mas dizer isso a Jeremy, que ainda está de luto pelas duas filhas, seria muito cruel.

— Ainda mora lá. Casou novamente alguns anos depois. Tem alguns enteados e netos.

Ele parece saber que estou mentido, mas está agradecido pela mentira.

— Você vai ter que passar um tempo no escritório da Verity olhando alguns papéis. Ela tem anos de anotações e rascunhos, eu não saberia organizar aquelas coisas.

Balanço a cabeça. *Ele não ouviu nada do que eu disse?*

— Jeremy, já disse, não posso...

— O advogado está jogando a oferta para baixo. Fale para seu agente pedir meio milhão. Diga que não vai dar entrevistas, vai assinar com pseudônimo e quer uma cláusula de não divulgação do seu nome. Assim, o que quer que esteja escondendo vai continuar escondido.

Tento dizer que não estou escondendo nada além da minha falta de jeito, mas antes de qualquer coisa ele vai em direção à porta.

— Moramos em Vermont. Assim que você assinar o contrato, passo o endereço. Pode ficar lá quanto tempo quiser para examinar o escritório dela.

Com a mão na porta, ele para. Estou prestes a abrir a boca para rejeitar tudo de novo, mas só o que sai é um hesitante:

— Tudo certo.

Ele me olha por um momento, como se fosse dizer mais alguma coisa. Mas também responde:

— Tudo certo.

Jeremy sai pelo corredor onde Corey está esperando. Corey volta à sala de reunião e fecha a porta.

Olho para a mesa, confusa com o que acabou de acontecer. Não entendo por que estão me oferecendo tanto dinheiro por um trabalho que nem sei se consigo fazer. *Meio milhão de dólares? E posso fazer sob pseudônimo, sem turnê de lançamento ou entrevistas? O que foi que eu disse para conseguir isso?*

— Não gosto dele — diz Corey, sentando na cadeira. — O que ele disse?

— Disse que o advogado está oferecendo pouco, e que deveria pedir meio milhão, sem entrevistas ou divulgação.

Eu me viro a tempo de ver Corey se engasgando. Ele pega minha garrafa de água e toma um gole.

— Cacete.

3

Quando tinha vinte e poucos anos, tive um namorado chamado Amos, que curtia asfixia erótica.

Foi por isso que terminamos. Eu me recusava a asfixiá-lo. Mas às vezes me pergunto o que teria acontecido se tivesse aceitado realizar aquele fetiche. Estaríamos casados agora? Teríamos filhos? Ele teria avançado para outras perversões sexuais ainda mais perigosas?

Acho que isso era o que mais me preocupava nele. Quando se tem vinte e poucos anos, você deveria ficar satisfeito com "sexo comum" e não querer incluir fetiches logo no início do relacionamento.

Gosto de pensar em Amos quando estou decepcionada com o momento atual da minha vida. Ao ver o papel rosa da ordem de despejo na mão de Corey, penso que sempre podia ser pior. *Podia estar com Amos ainda, por exemplo.*

Abro a porta e deixo Corey entrar. Não sabia que ele viria aqui, senão certamente teria tirado o aviso de despejo colado na porta. É o terceiro dia seguido que recebo um desses. Pego da mão dele e coloco na gaveta.

Corey está com uma garrafa de champanhe.

— Achei que a gente devia comemorar o novo contrato — diz ele, enquanto me passa a garrafa.

Fico feliz que ele não tenha mencionado o despejo. Não estou tão péssima agora, já que existe esse pagamento no horizonte. O que vou fazer até lá... não tenho certeza. Talvez tenha o suficiente para ficar num hotel por uns dias.

E sempre posso penhorar o que sobrou das coisas da minha mãe.

Corey já tirou o casaco e está afrouxando a gravata. Era esse o nosso padrão antes de minha mãe se mudar para cá: ele aparecia e ia tirando peças de roupa até que estivéssemos os dois debaixo das cobertas.

A coisa toda acabou completamente quando descobri, pelas redes sociais, que ele estava saindo com uma garota chamada Rebecca. Não foi por ciúmes que terminei nossa relação casual, mas por respeito à garota que não estava sabendo de nada.

— Como está Becca? — pergunto enquanto abro o armário e procuro dois copos.

A mão dele para sobre a gravata, como se estivesse chocado por eu saber de sua vida amorosa.

— Escrevo romances de suspense, Corey. Não fique tão surpreso por eu saber sobre sua namorada.

Não vejo sua reação. Abro a garrafa e sirvo o champanhe em duas taças. Quando vou entregar uma delas, Corey está sentado no bar. Eu me sento em frente a ele e erguemos nossos copos. Mas bebo logo, antes que ele queira fazer um brinde. Olho para a taça e penso que é impossível brindar a qualquer coisa que não seja o dinheiro.

— Não é minha série, não são meus personagens. E a autora responsável pelo sucesso desses livros está ferida. Não me parece certo brindar a isso.

Corey ainda está com a taça parada no meio do caminho. Ele dá de ombros, vira o champanhe num gole só e me devolve a taça.

— Foca na linha de chegada e não no motivo da corrida.

Reviro os olhos e coloco a taça vazia na pia.

— Você já leu algum livro dela? — pergunta Corey.

Balanço a cabeça enquanto abro a torneira. Preciso lavar a louça. Tenho 48 horas para sair deste apartamento, e gostaria de levar minha louça comigo.

— Não. E você? — respondo enquanto pego a esponja e o detergente.

— Não. Não é muito meu estilo — diz, rindo.

Olho para ele, que imediatamente percebe ter insultado a minha escrita também, já que em princípio me ofereceram esse trabalho graças a nossos estilos similares, como disse o marido de Verity.

— Não foi o que eu quis dizer.

Ele se levanta, contorna o bar e para ao meu lado na pia. Quando termino de ensaboar o prato, ele o pega da minha mão e enxágua.

— Parece que ainda não começou a empacotar suas coisas. Já achou um novo apartamento?

— Reservei um depósito e devo tirar a maioria das coisas até amanhã. Preenchi uma ficha em um prédio no Brooklyn, mas só vão ter algo vago em duas semanas.

— A ordem de despejo diz que precisa sair em dois dias.

— Estou ciente.

— Então vai para onde? Um hotel?

— Em algum momento, sim. Mas no domingo vou para a casa de Verity Crawford. O marido dela me pediu para dar uma olhada no escritório por um ou dois dias antes de eu começar a escrever a série.

Assim que assinei o contrato hoje de manhã, Jeremy me enviou um e-mail com o endereço da casa deles. Perguntei se podia ir no domingo. Por sorte, ele topou.

Corey pega mais um prato para enxaguar. Está me encarando.

— Vai ficar na *casa* deles?

— De que outro jeito vou reunir as anotações dela para a série?

— Pede para ele te enviar por e-mail.

— Ela tem mais de dez anos de anotações e rascunhos. Jeremy disse que não saberia nem por onde começar. É melhor eu mesma vasculhar tudo.

Corey não diz nada, mas posso sentir que está segurando a língua. Passo a esponja pela lâmina da faca e a entrego a ele.

— O que você está se segurando para não dizer?

Ele enxágua a faca em silêncio, coloca no escorredor, se apoia na borda da pia e se vira para mim.

— O cara perdeu duas filhas. E aí depois a mulher se machucou num acidente de carro. Não sei se fico confortável com a ideia de você passar um tempo na casa dele.

De repente, a água fica fria demais. Sinto meus dois braços se arrepiarem. Fecho a torneira e enxugo as mãos.

— Está dando a entender que ele tem algo a ver com tudo isso?

Corey dá de ombros.

— Não tenho *provas*, mas vai me dizer que isso nunca passou pela sua cabeça? Que talvez não seja muito seguro? Você nem conhece essas pessoas.

— Não sou idiota. Andei investigando sobre eles na internet. A primeira filha estava dormindo na casa de uma amiguinha a mais de 20 quilômetros de distância quando teve uma reação alérgica. Nem Jeremy nem Verity estavam lá quando aconteceu. E a segunda criança se afogou no lago que fica atrás da casa deles, mas Jeremy só chegou em casa quando já havia uma operação de busca pelo corpo. Ambos foram considerados acidentes.

Entendo a preocupação de Corey, porque, honestamente, eu também estava preocupada. Mas, quanto mais investigo, menos vejo razão para preocupação. Foram dois acidentes trágicos e sem nenhuma relação.

— E o acidente de carro de Verity?

— Foi um acidente. Ela bateu numa árvore.

Corey não parece convencido.

— Li que não tinha nenhuma marca de derrapagem na pista. Significa que ou ela dormiu ou fez isso de propósito.

— E você acha isso difícil de entender? — pergunto, já irritada que ele esteja fazendo acusações sem provas. — Ela perdeu duas filhas. Qualquer um que passe por isso tenta dar um jeito de escapar da dor.

Corey enxuga as mãos no pano de prato e pega o casaco na cadeira.

— Acidentes ou não, a verdade é que essa família tem muito azar e muitos problemas emocionais, então toma cuidado. Vai lá, pega o que for necessário e vai embora.

— Que tal se preocupar com os detalhes do contrato, Corey? Pode deixar que da pesquisa e da escrita, cuido eu.

— Só estou cuidando de você — diz ele, enquanto põe o casaco.

Cuidando de mim? Ele sabia que minha mãe estava morrendo e não perguntou nada durante dois meses. Ele não está cuidando de mim. É só um ex-namorado que achou que transaria hoje, mas foi rejeitado e logo depois soube que vou ficar hospedada na casa de outro cara. Isso aí é ciúme.

Levo Corey até a porta, aliviada. Não o culpo por querer ir embora mais cedo. O apartamento tem uma vibração estranha desde que minha mãe se mudou para cá. É por isso que nem tentei manter o aluguel ou dizer ao proprietário que terei dinheiro em duas semanas. Quero fugir daqui do mesmo jeito que Corey está fazendo agora.

— Só para constar: parabéns. Mesmo que você não tenha criado a série, foi sua literatura que a levou a esse trabalho. Devia estar orgulhosa.

Odeio que ele diga coisas fofas quando estou no auge da irritação.

— Obrigada.

— Manda uma mensagem para mim assim que chegar lá no domingo, ok?

— Vou mandar.

— E avisa se precisar de ajuda na mudança.

— Não vou precisar.

— Tá bom, então — responde ele, rindo.

Ele não me abraça. Dá um tchauzinho ao sair, e essa é a despedida mais estranha que já tivemos. Sinto que nossa relação finalmente chegou ao status ideal: agente e autora. Nada além disso.

4

Eu podia ter escolhido qualquer outra coisa pra fazer durante as seis horas da viagem de carro. Podia ter escutado "Bohemian Rhapsody" umas sessenta vezes. Podia ter ligado para minha amiga Natalie e colocado o papo em dia, já que não nos falamos há mais de seis meses. Mandamos mensagens uma para a outra de vez em quando, mas teria sido bom ouvir a voz dela. Ou podia ter usado esse tempo para me preparar psicologicamente e listar todas as razões pelas quais preciso ficar bem longe de Jeremy Crawford enquanto estiver na casa dele.

Em vez disso, escolhi ouvir o audiolivro do primeiro romance da série de Verity Crawford.

Acabou agora. As juntas dos meus dedos estão brancas por agarrar tão forte o volante. Minha boca está seca porque me esqueci de beber água. Minha autoestima ficou em algum lugar lá perto de Albany.

Ela é boa. Muito boa.

Agora estou arrependida de ter assinado esse contrato. Não estou certa de que posso corresponder a esse tipo de expectativa. E pensar que ela já escreveu seis desses romances, sempre do ponto de vista do vilão. *Como um cérebro pode conter tanta criatividade?*

Talvez os outros cinco sejam uma merda. Tenho esperanças. Assim talvez não haja tanta expectativa pelos últimos três livros da série.

Quem estou querendo enganar? Toda vez que Verity lança um livro, vai direto para o topo da lista dos mais vendidos do *Times*.

Estou ainda mais nervosa do que quando saí de Manhattan.

Durante todo o resto da viagem fico pensando em voltar para Nova York com o rabo entre as pernas, mas sigo em frente porque sei que duvidar de mim mesma é parte do processo de escrita. É parte de mim, na verdade. São sempre três passos para escrever cada livro.

1. Começar o livro e odiar tudo o que escrevo.
2. Continuar escrevendo apesar de odiar tudo.
3. Terminar o livro e fingir que estou satisfeita com ele.

Nunca há um momento no processo de escrita em que eu sinta que consegui atingir o que queria, ou que estou escrevendo algo que as pessoas precisam ler. Na maior parte do tempo eu choro embaixo do chuveiro ou olho para o computador feito um zumbi, imaginando como é que os outros autores conseguem promover seus livros com tanta confiança.

Este é o melhor livro do mundo desde o último livro que escrevi! Você tem que ler!

Eu sou aquela autora esquisita que posta uma foto do livro e diz: "Este livro é meio mais ou menos. Tem umas palavras nele. Leia se quiser."

Temo que essa experiência seja ainda mais difícil do que previ. Quase ninguém lê meus livros, então não sofro muito com as críticas negativas. Mas quando meu trabalho sair associado ao nome de Verity, haverá centenas de milhares de leitores aguardando ansiosos por esta série. Se eu mandar mal, Corey vai saber que mandei mal. Os editores vão saber que mandei mal. Jeremy vai saber que mandei mal. E, dependendo de seu estado mental, *Verity* pode saber que mandei mal.

Jeremy não deixou muito claro qual é exatamente o estado de saúde de Verity naquela reunião, então não tenho a menor ideia se ela está ferida a ponto de não conseguir se comunicar. Não há muita coisa na internet sobre o acidente além de algumas reportagens bem vagas. A editora divulgou um comunicado dizendo que ela havia se ferido sem risco de morte. Duas semanas atrás, divulgaram outro comunicado afirmando que ela estava em casa, numa recuperação tranquila. Mas Amanda, a editora, deixou claro que querem deixar os detalhes do caso fora da mídia. Então é bem possível que tenham minimizado a gravidade de tudo.

Ou, talvez, depois de todas as tragédias que vivenciou nos últimos dois anos, ela simplesmente não queira mais escrever.

Acho compreensível que desejem garantir a conclusão da série. Os editores não querem ver sua maior fonte de renda ir pelo ralo. E, embora eu esteja lisonjeada por terem me chamado para concluí-la, parte de mim não quer virar o centro das atenções. Quando comecei a escrever, não tinha o objetivo de ficar famosa. Meu sonho era que algumas pessoas lessem meus livros, o suficiente para pagar minhas contas. Nunca desejei uma vida de riqueza e deslumbre. São poucos os autores que atingem esse tipo de sucesso, por isso nunca me preocupei que fosse acontecer comigo.

Sei que colocar meu nome nesta série impulsionaria as vendas dos meus livros antigos e abriria novas oportunidades para o futuro, mas Verity é bem-sucedida *demais*. Assim como esta série de livros que vou assumir. Ao assiná-los com meu nome real, estaria sujeita a um tipo de fama da qual tive medo a vida inteira.

Não quero quinze minutos de fama. Só quero meu pagamento.

E vai ser longa a espera pelo adiantamento. Gastei a maior parte do que me restava no aluguel do carro e de um depósito para guardar minhas coisas. Também já paguei adiantado por um apartamento, mas ele só vai estar pronto na semana que vem, ou talvez na outra. Assim, o pouco que sobrou vai ter que dar para pagar um hotel quando eu for embora da casa dos Crawford.

Esta é minha vida. Meio sem-teto, sobrevivendo apenas com uma mala, e isso apenas uma semana e meia depois de perder o último membro da minha família. Dá para ficar pior?

Bom, eu podia estar casada com Amos agora, então *sempre* pode ser pior.

— Meu Deus, Lowen.

Reviro os olhos para mim mesma: quantos escritores estariam dispostos a matar por essa oportunidade, e eu aqui, achando que cheguei ao fundo do poço.

Ingrata.

Preciso parar de olhar minha vida pelos olhos da minha mãe. Assim que receber o adiantamento por esses livros, tudo vai melhorar. Não vou mais ser uma sem-teto.

Peguei a saída para a casa dos Crawford alguns quilômetros atrás. Agora o GPS me guia por uma estrada longa e sinuosa, ladeada de árvores de cornisos floridos e casas que vão ficando maiores e mais espaçadas.

Quando finalmente chego ao meu destino, paro o carro para admirar a entrada. Duas colunas imensas de tijolos se elevam dos dois lados do acesso de carros. Que, aliás, parece não ter fim.

Estico o pescoço para tentar descobrir até onde vai, mas o asfalto segue se embrenhando em meio às árvores. Em algum lugar lá na frente há uma casa. E em algum lugar dessa casa está Verity Crawford. Fico me perguntando se ela sabe da minha vinda. As palmas das minhas mãos começam a suar, então as tiro do volante e coloco na saída de ar para secá-las.

O portão se abre e dou a partida devagar no carro, passando por aquela construção maciça de ferro retorcido. Tento não surtar, mesmo percebendo que os padrões repetitivos no topo do portão de ferro se parecem com teias de aranha. Faço a curva e sinto um arrepio, as árvores vão ficando mais densas e mais altas até que vejo a casa. Consigo ver primeiro o telhado à medida que subo a colina: é de um cinza-ardósia, como uma nuvem anunciando uma tempestade furiosa. O resto da casa aparece segundos depois, e me dá um nó na garganta. A frente é ladeada de pedras escuras, interrompidas apenas por uma porta vermelho-sangue, o único respiro de cor nesse mar de cinza. O lado esquerdo da casa é coberto por hera, o que não é exatamente charmoso, e sim ameaçador. É como um câncer que se espalha devagar.

Penso no apartamento que deixei para trás: as paredes imundas, a microcozinha com uma geladeira verde-oliva da década de 1970. Minha casa inteira provavelmente caberia só no hall de entrada dessa monstruosidade. Minha mãe dizia que as casas têm alma. Se isso for verdade, a alma da casa de Verity Crawford é a mais sombria que eu já vi.

Eu investiguei a casa de Verity antes de vir, mas as imagens online de satélite não fazem jus ao lugar. De acordo com o site da corretora de imóveis que acessei, eles compraram a casa por 2,5 milhões há cinco anos. Hoje ela já vale mais de 3 milhões.

A casa é opressiva, enorme e isolada, mas não tem a atmosfera comum a outras propriedades desse calibre. Não tem aquele ar de superioridade entranhado em suas paredes.

Dirijo pelo acesso me perguntando onde deveria estacionar o carro. A grama é exuberante e bem-cuidada, e ocupa pelo menos uns 10 mil metros quadrados. O lago que fica nos fundos da casa se estende de um lado a outro da propriedade. A vista das Montanhas Verdes é tão linda e viva que é difícil acreditar na enorme tragédia que se abateu sobre os donos daquela casa.

Suspiro de alívio ao notar uma área de estacionamento ao lado da garagem. Manobro o carro ali e desligo o motor.

Meu carro não combina nem um pouco com a casa. Não acredito que escolhi o carro mais barato possível para alugar. *Trinta dólares por dia*. Duvido que Verity tenha se sentado no banco de um Kia Soul alguma vez na vida. A reportagem que li sobre seu acidente dizia que ela dirigia um Range Rover.

Meu celular está no banco do carona, e me viro para pegá-lo e avisar a Corey que cheguei. Quando volto para abrir a maçaneta do lado do motorista, quase caio dura e fico colada no banco. Olho para fora da janela.

— Merda!

Que porra é essa?

Levo a mão ao peito para conferir se o meu coração ainda está batendo e olho de volta para o rosto que me encara da janela. Quando vejo que é apenas uma criança, coloco a mão na boca torcendo para que ele já tenha ouvido algum palavrão na vida. Ele não ri. Só fica me olhando, o que é ainda mais assustador do que se tivesse vindo me dar um susto de propósito.

Ele é a versão miniatura de Jeremy. A mesma boca, os mesmos olhos verdes. Li em uma das matérias que Verity e Jeremy tinham três filhos. Este deve ser o mais novo.

Abro a porta e ele dá um passo para trás enquanto saio do carro.

— Oi — digo, mas ele não responde. — Você mora aqui?

— Moro.

Olho para a casa atrás dele, imaginando como deve ser para uma criança crescer num lugar desses.

— Deve ser legal — murmuro.

— Antes era.

Ele se vira e começa a andar pela entrada, em direção à porta da casa. Na hora me sinto péssima por ele. Acho que não pensei muito sobre a situação da família. Esse menininho, que não tem mais do que 5 anos, perdeu as duas irmãs. E vai saber o que esse luto pode ter causado à sua mãe? No caso de Jeremy era muito evidente.

Deixo para pegar a mala depois, fecho a porta do carro e sigo o garotinho. Estou a poucos metros dele quando ele abre a porta, entra na casa e fecha a porta na minha cara.

Espero um pouco, talvez ele só esteja brincando. Mas vejo pelo vidro da porta que ele continua andando para dentro da casa sem nenhuma menção de voltar e me deixar entrar.

Não quero chamá-lo de babaca. É só uma criança, e já passou por muita coisa. *Mas talvez ele seja um babaquinha.*

Toco a campainha e espero.

E espero.

E espero.

Toco novamente, mas ninguém responde. Jeremy me mandou seu telefone por e-mail, então envio uma mensagem.

Aqui é Lowen. Estou na porta da sua casa.

Mando a mensagem e espero.

Segundos depois, ouço passos descendo as escadas. Pelo vidro vejo a sombra de Jeremy aumentando à medida que chega perto da porta. Logo antes de abrir, percebo que ele para e respira. Não sei por quê, mas essa pausa me dá a impressão de que não sou a única que está nervosa com toda essa situação.

Engraçado que o desconforto dele me deixa mais confortável. Acho que não deveria ser assim.

Jeremy abre a porta e, embora seja o mesmo cara que conheci há alguns dias, ele está... diferente. Sem terno e gravata, sem ar misterioso. Está de calça de moletom, uma camiseta azul da Bananafish. Está de meias, sem sapatos.

— Olá.

Não estou gostando nada desse arrepio que estou sentindo agora. Ignoro e dou um sorriso para ele.

— Oi.

Ele olha para mim por um segundo e dá um passo para trás, abrindo a porta e me convidando a entrar.

— Desculpa, estava lá em cima. Pedi ao Crew para abrir a porta, mas acho que ele não ouviu.

Dou um passo em direção ao hall de entrada.

— Trouxe mala? — pergunta Jeremy.

— Sim. Está no banco de trás do carro, mas posso pegar depois — digo, virando para encará-lo.

— O carro está destrancado?

Faço que sim com a cabeça.

— Volto já.

Ele calça um par de sapatos que estava ao lado da porta e sai. Dou uma olhada em volta. Não é muito diferente das fotos que vi. É estranho já conhecer todos os cômodos da casa, graças ao site da corretora de imóveis. Tenho a impressão de que já sei me locomover aqui, embora só tenha andando cerca de 1,5 metro para dentro da casa.

À direita fica a cozinha. À esquerda, a sala de estar. São separadas por um corredor com uma escada que leva ao segundo andar. Nas fotos, a cozinha estava toda decorada com armários de madeira escura, mas foi reformada. Foram substituídos em sua maioria por prateleiras e por armários de madeira mais clara acima da bancada.

Há dois fornos e uma geladeira com porta de vidro. Olho para ela de longe quando o garotinho aparece descendo as escadas. Ele passa por mim, abre a geladeira e pega uma garrafa de refrigerante. Fico olhando enquanto ele se esforça para abrir a tampa.

— Quer que eu abra para você?

— Quero, por favor — responde, me olhando com aqueles olhos grandes e verdes.

Não devia ter pensado que ele era um babaca. Sua voz é tão doce e suas mãos tão pequenas que ainda nem conseguem abrir uma garrafa de refrigerante. Pego da mão dele e abro com facilidade. Devolvo enquanto a porta se abre.

Jeremy franze a testa e olha para Crew.

— Acabei de dizer que não é para tomar refrigerante.

Ele deixa minha mala no chão, anda em direção a Crew e tira a garrafa de suas mãos.

— Vai lá se preparar para tomar banho. Subo em um minuto.

Crew revira os olhos e sobe a escada.

— Não confie nesse garoto. É mais esperto que nós dois juntos — avisa Jeremy, levantando a sobrancelha.

Ele bebe um gole do refrigerante e o devolve à geladeira.

— Quer beber alguma coisa?

— Não, obrigada.

Jeremy carrega minha mala pelo corredor.

— Espero que isso não seja muito estranho, mas você vai ficar no quarto principal. Todos nós dormimos no segundo andar agora, e imaginei que seria mais fácil porque é o quarto mais próximo do escritório dela.

— Não sei se vou precisar passar a noite aqui — digo, seguindo Jeremy. O lugar me dá arrepios. Seria melhor pegar o que preciso e ir para um hotel. — Meu plano era olhar o escritório e avaliar a situação.

Jeremy ri, abrindo a porta do quarto.

— Acredite, vai precisar de uns dois dias. Talvez mais.

Ele coloca a mala num recamier aos pés da cama, abre o closet e mostra uma área vazia.

— Deixei um espaço caso precise pendurar algo. O banheiro é todo seu. Por favor, me avise se precisar de algum produto específico. Com certeza temos em casa.

— Obrigada.

Olho em volta, e é tudo tão bizarro. Principalmente porque vou dormir na cama deles. Meus olhos se voltam para a cabeceira — especificamente para as marcas de dentes no topo da cabeceira. Imediatamente desvio o olhar antes que Jeremy perceba. Ele vai ver na minha cara que estou imaginando qual dos dois teve que morder a cabeceira para não gritar durante o sexo.

Será que já tive transas tão intensas assim?

— Precisa de um pouquinho de privacidade aqui ou quer ver logo o resto da casa?

— Vamos lá — digo, seguindo-o pelo corredor.

Paro para olhar a porta do quarto.

— Essa porta tranca?

Ele entra de novo no quarto e olha a fechadura.

— Acho que nunca trancamos antes. Mas com certeza posso encontrar uma chave se for importante para você.

Não durmo num quarto sem chave desde que tinha 10 anos de idade. Quero implorar por uma chave, mas ao mesmo tempo não quero incomodar ainda mais.

— Não precisa, tudo bem.

Ele larga a porta, mas antes de voltar ao corredor, pergunta:

— Antes de irmos lá em cima, já sabe qual pseudônimo vai usar para escrever a série?

Não pensei nisso desde que a Pantem Press concordou com as condições que Jeremy me sugeriu.

— Ainda não pensei nisso — digo, encolhendo os ombros.

— Queria te apresentar à enfermeira de Verity usando seu pseudônimo. Assim, ninguém vai poder ligar você à série, se não quiser.

Seu estado é tão grave que precisa de uma enfermeira?

— Está bem. Acho que...

Não tenho ideia de que nome usar.

— Qual é o nome da rua onde morava quando era criança? — pergunta Jeremy.

— Laura Lane.

— E qual é o nome do seu primeiro bicho de estimação?

— Chase. Era um Yorkshire.

— Laura Chase. Gostei.

Balanço a cabeça, reconhecendo o padrão de perguntas das brincadeirinhas do Facebook.

— Não é assim que as pessoas descobrem qual seria seu nome de atriz pornô?

Ele ri.

— Atriz pornô, pseudônimo. Funciona para tudo. Venha conhecer Verity primeiro e depois te levo ao escritório.

Jeremy sobe a escada, dois degraus de cada vez. Há um elevador que parece recém-instalado logo depois da cozinha. Verity deve estar numa cadeira de rodas agora. *Nossa, coitada dessa mulher.*

Jeremy me aguarda no topo da escada. O corredor faz uma bifurcação e há três portas de um lado e duas do outro. Ele vira à esquerda.

— Esse é o quarto de Crew — explica, apontando o primeiro cômodo. — Eu durmo nesse quarto aqui — aponta para a porta ao lado.

Em frente a esses dois há um terceiro quarto. A porta está fechada, então ele bate gentilmente e abre.

Não sei bem o que estava esperando, mas certamente não era isso.

Ela está deitada na cama, olhando para o teto, o cabelo loiro espalhado pelo travesseiro. Uma enfermeira de jaleco azul está na base da cama, vestindo meias em seus pés. Crew está deitado ao lado de Verity na cama, segurando um iPad.

Os olhos de Verity são vagos e não se dão conta do que acontece em volta. Ela não percebe a presença da enfermeira. Nem a minha. Ou a de Crew. Nem a presença de Jeremy enquanto ele se inclina e tira os cabelos de sua testa. Ela pisca, mas não há nada ali. Não reconhece o homem carinhoso com quem teve três filhos. Tento esconder o arrepio que se espalha por meus braços.

A enfermeira se dirige a Jeremy.

— Ela parecia cansada, então achei melhor colocá-la na cama cedo hoje — explica, e a cobre com o cobertor.

Jeremy vai até a janela e fecha as cortinas.

— Ela já tomou os remédios depois do jantar?

A enfermeira levanta os pés de Verity, ajeitando o cobertor por baixo deles.

— Sim, está tudo certo até meia-noite.

Ela é mais velha do que Jeremy, talvez uns cinquenta e poucos anos, com cabelo curto e ruivo. Olha para mim e depois para ele, esperando ser apresentada.

Jeremy balança a cabeça, como se tivesse se esquecido da minha presença.

— Esta é Laura Chase, a autora de quem falei antes. Laura, esta é April, a enfermeira de Verity.

Aperto a mão de April e posso senti-la me julgando enquanto me olha de cima a baixo.

— Achei que você seria mais velha — diz.

Como responder a isso? Pelo jeito que ela me olha, o comentário parece uma alfinetada. Ou uma acusação. Ignoro e sorrio.

— Prazer em conhecê-la, April.

— O prazer é meu.

Ela pega a bolsa no aparador e se dirige a Jeremy.

— Vejo você de manhã. Tem tudo para ser uma noite tranquila.

Ela dá um pequeno beliscão na coxa de Crew, que ri e se encolhe. Dou espaço para ela sair do quarto.

Olho para a cama. Os olhos de Verity ainda estão abertos, mas não olham para nada. Não sei se ela percebe que a enfermeira saiu. Ela percebe alguma coisa? Sinto muito por Crew. Por Jeremy. E por Verity.

Não sei se eu ia querer viver nessas condições. E saber que Jeremy está preso a essa vida... É tudo muito deprimente. A casa, as tragédias no passado da família, as dificuldades do presente.

— Crew, não me obrigue a fazer isso. Já disse para ir tomar banho.

Crew olha para Jeremy e sorri, mas não sai da cama.

— Vou contar até três.

Crew larga o iPad, mas continua a desafiar Jeremy.

— Um, dois...

E então, ao chegar ao três, Jeremy se joga sobre Crew, agarra seus tornozelos e o levanta pelo pé.

— É noite de ficar de cabeça para baixo!

Crew está gargalhando e se contorcendo.

— De novo não!

Jeremy olha para mim.

— Laura, quantos segundos uma criança consegue ficar de cabeça para baixo antes que o cérebro vire ao contrário e ela comece a falar de trás para frente?

Eu rio da interação dos dois.

— Ouvi falar que são vinte segundos. Mas podem ser quinze.

— Não, papai, vou tomar banho! Não quero que meu cérebro vire ao contrário!

— E vai lavar as orelhas? Porque pelo visto elas não estavam funcionando quando eu disse para tomar banho.

— Eu juro!

Jeremy o coloca por cima do ombro, virando de cabeça para cima antes de voltar ao chão. Mexe no cabelo do menino.

— Vai logo!

Crew corre para o outro lado do corredor e entra no quarto. Ver a interação dos dois faz a casa parecer um pouco mais acolhedora.

— Ele é fofo. Quantos anos tem?

— Ele tem 5.

Jeremy vai até a lateral da cama de hospital onde Verity está e levanta um pouco o encosto. Pega o controle remoto e liga a TV.

Saímos do quarto e ele fecha a porta com cuidado. Já estou no meio do corredor quando ele me olha e coloca as mãos nos bolsos da calça de moletom cinza. Parece que quer falar mais, explicar mais. Mas não o faz. Dá um suspiro e olha de volta para o quarto de Verity.

— Crew estava com medo de dormir no andar de cima sozinho. Está lidando bem com tudo, mas as noites são mais difíceis. Ele queria ficar mais perto dela, mas não queria dormir lá embaixo. Então viemos os dois aqui para cima. Ou seja, o primeiro andar é todo seu à noite — explica, e apaga a luz do corredor.
— Quer ver o escritório?

— Claro.

Voltamos ao primeiro andar e chegamos à porta dupla logo na base da escada. Ele empurra uma das portas e revela o lado mais íntimo da esposa.

O escritório dela.

Ao entrar, sinto como se estivesse remexendo sua gaveta de calcinhas. Do chão ao teto, há prateleiras lotadas de livros. Caixas de papel estão empilhadas nas paredes. A escrivaninha... *Meu Deus, a escrivaninha.* Vai de um lado ao outro da parede com uma enorme janela de onde dá para ver todo o jardim. Não há um centímetro da mesa que não esteja tomado por papéis e arquivos.

— Ela não é a pessoa mais organizada do mundo.

Sorrio, reconhecendo nossa afinidade.

— A maioria dos escritores não é.

— Vai demorar. Eu mesmo tentaria organizar, mas é como se fosse grego para mim.

Passo as mãos sobre os livros em uma das prateleiras próximas. São edições estrangeiras dos romances dela. Pego uma edição alemã e examino.

— Ela tem um laptop e um computador de mesa. Anotei as senhas para você.

Ele pega um caderno ao lado do computador.

— Ela estava sempre fazendo anotações, escrevendo pensamentos. Anotava as ideias até em guardanapos. Escrevia diálogos em cadernos à prova d'água no banho — conta Jeremy, devolvendo o caderno à escrivaninha. — Uma vez usou um marcador para escrever nomes de personagens na fralda de Crew. Estávamos no zoológico e ela estava sem papel.

Ele dá uma volta completa olhando o escritório, como se não viesse aqui há algum tempo.

— O mundo inteiro era seu caderno. Nenhuma superfície estava a salvo.

Acho fofo como ele valoriza o processo criativo dela. Olho em volta também, tentando assimilar tudo.

— Não tinha ideia onde estava me metendo.

— Eu não quis rir quando você disse que talvez não precisasse passar a noite aqui. Mas, honestamente, isso pode levar mais do que dois dias. Pode ficar aqui o quanto precisar. É melhor demorar e garantir que vasculhou tudo do que voltar para Nova York insegura sobre por onde começar.

Olho para a prateleira onde está a série que preciso assumir. São nove livros no total, seis já foram publicados e três ainda precisam ser entregues. O título da série é "As virtudes nobres", e cada livro é uma virtude diferente. Os três que cabem a mim são Coragem, Verdade e Honra.

Os seis livros estão na prateleira, e fico feliz em ver cópias extras. Pego uma edição do segundo livro e começo a folhear.

— Você já leu a série?

Faço que não com a cabeça. Não quero dizer que ouvi o audiolivro. Ele pode me fazer perguntas.

— Ainda não. Não tive tempo entre assinar o contrato e vir para cá — respondo e coloco de volta na prateleira. — E qual é seu favorito?

— Também não li nenhum deles. Não li mais nada depois do primeiro livro dela.

— É sério?

— Não gosto de entrar na cabeça dela.

Seguro um sorriso, porque ele está parecendo Corey. Não consegue separar o universo criado pela esposa e a realidade em que ela vive. Pelo menos Jeremy parece ter mais consciência disso do que Corey.

Olho ao redor do cômodo meio atônita, mas não sei se é por causa de Jeremy ou do caos que vou enfrentar.

— Não sei por onde começar.

— É, vou deixar você à vontade para resolver isso. Preciso dar uma olhada no Crew. Sinta-se em casa. Comida, bebida, pegue o que quiser.

— Obrigada.

Jeremy fecha a porta e aqui estou eu na escrivaninha de Verity. Só a cadeira dela deve custar mais do que um mês de aluguel do meu apartamento. Fico pensando se é mais fácil escrever quando se tem dinheiro para gastar em todas as coisas que sempre sonhei ter à minha disposição: móveis confortáveis, um massagista, mais de um computador. Acho que tornaria o processo de escrita mais fácil e menos estressante. Eu tenho um laptop com uma tecla faltando e só consigo Wi-Fi quando algum vizinho se esquece de por senha na rede. Sento numa cadeira de jantar velha diante de uma escrivaninha improvisada — na verdade, uma mesa de plástico dobrável que comprei na Amazon por 25 dólares.

Na maior parte do tempo não tenho dinheiro nem para comprar tinta e papel para a impressora.

Os dias que passarei aqui vão servir para testar minha teoria. Quanto mais rico se é, mais criativo você pode ser.

Pego o segundo livro da série. Abro com a intenção apenas de dar uma olhada. Quero ver como ela continuou a história após o fim do primeiro livro.

Três horas se passaram e continuo lendo.

Não saí do lugar, nem uma vez. Capítulo atrás de capítulo com intrigas e personagens perturbados. Personagens *muito* perturbados. Vai levar um tempo para entrar nesse estado de espírito e começar a escrever. Não é à toa que Jeremy não quer ler os livros. Todos são escritos do ponto de vista do vilão, o que é novidade para mim. Eu realmente devia ter lido tudo antes de vir.

Levanto para esticar as costas, mas elas não estão doendo. Essa cadeira é o móvel mais confortável em que minha bunda já encostou na vida.

Olho em volta, pensando se devo começar com os arquivos de computador ou os impressos.

Decido começar pelo computador. Vasculho diversos arquivos do Word. Tudo tem a ver com o que ela já escreveu. Não estou pensando nesses ainda. Quero encontrar os planos para os livros futuros. A maior parte dos arquivos do laptop está no computador de mesa também.

Talvez ela seja aquele tipo de autora que escreve todas as ideias à mão. Volto minha atenção às pilhas de caixas na parede próxima ao closet. Está tudo coberto com uma fina camada de poeira. Vasculho diversas caixas. Há manuscritos em diversos estágios do processo de escrita. Mas todos são versões dos seis livros da série que ela já escreveu. Não há nada que indique o que ela estava planejando escrever a seguir.

Estou na sexta caixa, esquadrinhando todo o seu conteúdo, até que encontro algo com um título diferente. Chama-se *Assim seja*.

Folheio as primeiras páginas torcendo para ser um rascunho do sétimo livro da série. Mas quase imediatamente vejo que não é. É algo mais... pessoal. Volto à primeira página do primeiro capítulo e começo a ler.

Às vezes penso na noite em que conheci Jeremy e me pergunto: se não tivéssemos cruzado nossos olhares, minha vida teria terminado do mesmo jeito?

Assim que vejo o nome de Jeremy, dou uma olhada no resto da página. *É uma autobiografia.*

Não é nada do que eu estava procurando. Uma autobiografia não é o que a editora está me pagando para escrever, então eu devia deixar para lá. Mas dou uma olhada para ver se a porta está mesmo fechada porque estou curiosa. E ler um pouco desse texto pode ser considerado uma espécie de pesquisa. Preciso saber como a mente de Verity funciona para entendê-la como escritora.

Essa é minha desculpa.

Levo o manuscrito para o sofá, me aninho por ali e começo a ler.

Assim seja

de Verity Crawford

Nota da autora:

O aspecto que mais abomino nas narrativas autobiográficas são as reflexões falsas que aparecem a cada frase. Um escritor não deveria se atrever a escrever sobre si mesmo a menos que esteja disposto a remover todas as camadas de proteção que separaram sua alma do livro. As palavras precisam vir do fundo das vísceras, abrindo espaço entre a carne e os ossos. Feias, sinceras, sangrentas, talvez até um pouco assustadoras, mas completamente expostas. Uma autobiografia que tem a intenção de fazer o leitor gostar do autor não é uma autobiografia de verdade. É impossível gostar das vísceras de alguém. Depois de ler uma autobiografia, o leitor deveria sentir, pelo menos, uma antipatia incômoda pelo autor.

É o que farei aqui.

O que você vai ler às vezes terá um gosto tão ruim que terá vontade de cuspir. Mas vai engolir essas palavras a ponto de elas fazerem parte de você, das *suas* vísceras, a ponto de elas te machucarem.

E mesmo com esse meu aviso generoso... Vai continuar ingerindo minhas palavras, porque este é você.

Humano.

Curioso.

Pode continuar.

Capítulo Um

"Encontre o que você ama e deixe que te mate."
Charles Bukowski

Às vezes penso na noite em que conheci Jeremy e me pergunto: se não tivéssemos cruzado nossos olhares, minha vida teria terminado do mesmo jeito? Desde o início estava destinada a ter um fim tão trágico? Ou meu fim trágico é consequência das escolhas erradas e não do destino?

Claro, o fim trágico ainda não chegou, ou eu não estaria aqui contando o que levou a ele. Mas está a caminho. Posso pressenti-lo, da mesma maneira que pressenti a morte de Chastin. E, assim como aceitei o destino dela, estou pronta para aceitar o meu.

Não diria que estava perdida antes da noite em que conheci Jeremy, mas certamente nunca havia sido descoberta até o momento em que ele pôs os olhos em mim.

Já tinha tido namorados antes. Até mesmo transas casuais de uma noite. Mas, até aquele momento, nunca estive perto de imaginar uma vida com alguém. Quando o vi, consegui visualizar nossa primeira noite juntos, nosso casamento, a lua de mel, os filhos.

Até aquele momento, toda a ideia do amor sempre me parecera muito artificial. Uma estratégia da Hallmark. Um esquema criado por empresas de cartões de presente. Eu não tinha qualquer interesse no amor. Meu único objetivo naquela noite era encher a cara de graça e encontrar um investidor rico para trepar. Depois de entornar três Moscow Mules, eu já estava a meio caminho dessa missão. E, considerando o olhar de Jeremy Crawford, estava prestes a superar minhas expectativas. Ele parecia rico e, vamos ser sinceros, era um *evento de caridade*. Gente pobre não vai a eventos de caridade, a não ser como empregados.

Bem... exceto você e eu, claro.

Ele estava conversando com outros homens, mas olhava de relance para mim. A cada olhar, eu sentia que éramos as únicas pessoas naquele lugar. De vez em quando me lançava um sorriso. É claro. Eu estava com meu vestido vermelho naquela noite, aquele que roubei da Macy's. *Não me julgue. Eu era uma artista miserável e ele era muito caro.* Minha intenção era reparar o roubo quando tivesse dinheiro. Doar para caridade, salvar um bebê ou coisa do tipo. O lado bom de pecar é que não precisa se redimir imediatamente, e aquele vestido era perfeito demais para deixar passar.

Era um vestido bom para trepar. O tipo de vestido que não atrapalha em nada quando um homem quer abrir suas pernas. Mulheres costumam cometer um erro ao escolher roupas para eventos desse tipo: não pensam com a cabeça dos homens. Querem que seus peitos estejam bonitos, suas curvas estejam destacadas. Mesmo que isso signifique passar a noite inteira desconfortável ou usar uma roupa impossível de tirar. Mas quando os *homens* olham para os vestidos, não estão admirando o modo como ele destaca os quadris, a cintura ou o fecho bonito nas costas. Eles avaliam o quão fácil será tirá-lo. Vão conseguir enfiar a mão por dentro das coxas quando estiverem sentados lado a lado na mesa? Vão conseguir trepar no carro sem aquela confusão de zíperes e cintas? Vão conseguir trepar no banheiro sem precisar tirar a roupa toda?

As respostas no caso do vestido vermelho roubado são sim, sim e *claro que sim*.

Eu sabia que ele não conseguiria ir embora da festa sem falar comigo. Não depois de ver aquele vestido. Então decidi parar de dar atenção a ele. Estava parecendo desesperada. Eu não era o rato, era o queijo. Ia ficar parada ali até que *ele* viesse a mim.

E Jeremy veio, no fim das contas. Eu estava no bar, de costas, quando ele colocou a mão em meu ombro e se inclinou, dirigindo-se ao barman. Jeremy não olhou para mim naquele momento. Apenas manteve a mão em meu ombro, como se estivesse me reivindicando como sua. Quando o barman se aproximou, fiquei olhando, fascinada. Jeremy apontou para mim com a cabeça.

— Sirva apenas água para ela pelo resto da noite.

Não estava esperando aquilo. Virei, apoiei o braço no bar e o encarei. Ele deslizou os dedos até meu cotovelo antes de recolher a mão. Senti um tremor pelo corpo misturado com uma onda de raiva.

— Sou totalmente capaz de decidir por mim mesma quando é hora de parar de beber.

Jeremy deu um sorrisinho e, embora eu tenha odiado a arrogância, ele era muito bonito.

— Tenho certeza de que é.

— Só bebi três drinques a noite toda.

— Ótimo.

Ajeitei o corpo e chamei o barman de volta.

— Vou querer outro Moscow Mule, por favor.

O barman olhou para mim, depois para Jeremy. E de volta para mim.

— Desculpe, senhora. Fui orientado a só lhe servir água.

Revirei os olhos.

— Eu ouvi. Estou bem aqui. Mas não conheço esse homem, ele não me conhece, e quero mais um Moscow Mule.

— Ela vai beber água — disse Jeremy.

Sem dúvida estava atraída por ele, mas aquela atitude machista já estava ofuscando sua beleza. O barman levantou os braços.

— Não quero me meter nisso. Se quiser um drinque, peça no outro bar — disse, apontando para o outro lado.

Peguei minha bolsa, levantei a cabeça e saí andando. Ao chegar ao outro bar, sentei-me e esperei o barman terminar de atender outra pessoa. Nesse meio-tempo, Jeremy apareceu novamente, desta vez se apoiando no bar.

— Não me deu a chance de explicar por que eu queria que bebesse água.

Virei a cabeça em sua direção.

— Desculpe. Não sabia que tinha obrigação de te dar atenção.

Ele riu, encostando no bar, me olhando com a cabeça de lado e com um sorriso sem graça.

— Estou te observando desde que cheguei. Tomou três drinques em 45 minutos. Se continuar nesse ritmo, não vou me sentir confortável em te convidar para ir embora comigo. Preferia que tomasse essa decisão sóbria.

A voz dele soava como música para meus ouvidos. Continuei olhando para Jeremy, tentando entender se era tudo uma farsa. Era possível que um homem bonito e aparentemente rico fosse *também* atencioso? Parecia mais pretensioso do que qualquer coisa, mas a cara de pau me convenceu.

O barman se aproximou no timing perfeito.

— O que deseja?

Levantei, desviei o olhar de Jeremy e olhei para o barman.

— Quero uma água.

— Duas, por favor — completou Jeremy.

E foi assim que aconteceu.

Anos já se passaram desde aquela noite e é difícil lembrar todos os detalhes, mas lembro de me sentir atraída por ele naqueles primeiros momentos de um jeito que nunca havia acontecido com outro homem. Gostei do som de sua voz. Gostei de sua confiança. Gostei de seus dentes brancos e perfeitos. Gostei da barba por fazer. Estava do tamanho perfeito para arranhar minhas coxas. Talvez até deixar uma marca, caso ele ficasse tempo suficiente ali.

Gostei que não tivesse pudores em me tocar e como, em todas as vezes, o roçar de seus dedos fazia minha pele formigar.

Depois que terminamos de beber nossas águas, Jeremy me conduziu para a saída, sua mão na base das minhas costas, seus dedos acariciando meu vestido.

Andamos até sua limusine e ele segurou a porta para eu entrar. Sentou-se de frente para mim e não ao meu lado. O carro tinha cheiro de flores, mas eu sabia que era perfume. Até me agradou, apesar de saber que outra mulher havia estado ali. Olhei para a garrafa de champanhe pela metade ao lado de duas taças, uma delas com batom vermelho.

Quem é ela? E por que ele foi embora da festa comigo e não com ela?

Não perguntei em voz alta porque, afinal, ele estava comigo. Era isso que importava.

Ficamos em silêncio por uns dois minutos, olhando com ansiedade um para o outro. Ele sabia que já tinha me conquistado, então se sentiu confiante para levantar minha perna e colocá-la no assento a seu lado. Sua mão esquerda acariciava meu tornozelo enquanto ele via minha respiração ficar mais profunda.

— Quantos anos você tem?

A pergunta me fez hesitar, porque ele parecia mais velho do que eu, com vinte e muitos, talvez trinta e poucos. Não queria assustá-lo com a verdade, então menti.

— Tenho 25.

— Parece mais nova.

Ele sabia que eu estava mentindo. Tirei o sapato e comecei a passar os dedos dos pés do lado de fora de sua coxa.

— Tenho 22.

— Ah, temos uma mentirosa. — Ele riu.

— Eu manipulo a verdade quando considero adequado. Sou escritora.

A mão dele subiu para minha panturrilha.

— E *você*, quantos anos tem?

— Tenho 24 — respondeu Jeremy, igualmente mentiroso.

— Então 28 na verdade?

Ele sorriu.

— Quase... 27.

A essa altura, sua mão já estava em meu joelho. E eu queria que subisse mais. Queria nas minhas coxas, entre minhas pernas, me explorando por dentro. Queria ele todo, mas não aqui. Queria ir *embora* com ele, ver onde ele vivia, avaliar o conforto da cama, cheirar os lençóis, sentir o gosto de sua pele.

— Onde está seu motorista?

Jeremy olhou para a frente da limusine.

— Não sei — respondeu, olhando de volta para mim. — Essa limusine não é minha.

Ele tinha um olhar malicioso, não dava para saber se estava mentindo.

Semicerrei os olhos imaginando se realmente aquele homem tinha me levado para uma limusine que nem era dele.

— E de *quem* é essa limusine?

Agora ele olhava para a própria mão. Aquela que desenhava círculos sobre o meu joelho.

— Não sei.

Imaginei que toda excitação iria embora ao perceber que talvez ele *não* fosse rico. Mas, em vez disso, sorri com a confissão.

— Sou um faxineiro. Vim dirigindo meu Honda Civic. Estacionei eu mesmo porque sou muito pão-duro para pagar 10 dólares ao manobrista.

Amei que ele tivesse me levado a uma limusine que nem era dele, e fiquei surpresa com minha reação. Ele não era rico. Ele não era rico *e, mesmo assim, eu queria transar com ele.*

— Limpo prédios comerciais no centro da cidade — admitiu. — Roubei o convite dessa festa numa lata de lixo. Nem era para estar aqui.

Ele sorriu e eu nunca quis tanto saber o gosto de um sorriso como o daquele em seu rosto.

— Não fui engenhoso?

Suas mãos escorregaram para trás do meu joelho, e ele me puxou em sua direção. Deslizei sobre o assento e sentei em seu colo. Era para isso que servia o vestido. Já podia senti-lo ficando duro entre minhas pernas enquanto ele passava o dedo em meus lábios. Passei a língua por seu dedo e ele soltou um suspiro. Não foi um grunhido. Nem um gemido. Foi um *suspiro*, como se aquilo fosse a coisa mais sexy que já experimentou.

— Qual é seu nome?

— Verity.

— Verity — repetiu. — *Verity*. É muito bonito.

Ele estava encarando a minha boca, prestes a se inclinar e me beijar, mas recuei.

— E qual é o seu?

Voltou a olhar em meus olhos.

— Jeremy.

Respondeu com pressa, como se fosse uma perda de tempo, uma interrupção inconveniente em nosso beijo. Assim que a palavra saiu de sua boca, nossos lábios se encostaram. E assim que isso aconteceu, a luz interior do carro acendeu sobre nossas cabeças e ambos congelamos, os lábios se roçando, os corpos paralisados, enquanto o motorista entrava no carro.

— Merda — murmurou Jeremy ainda com a boca encostada à minha. — Que hora péssima para voltar.

Ele me puxou, abriu a porta e me conduziu para fora do carro bem quando o motorista percebeu que havia mais alguém ali.

— Ei! — gritou o chofer para o banco de trás.

Jeremy agarrou minha mão e começou a me puxar junto com ele, mas eu precisava me livrar dos sapatos. Apoiei em seu braço e ele parou enquanto os tirava. O motorista começou a vir em nossa direção.

— Ei, o que estavam fazendo no meu carro?

Jeremy pegou meus sapatos com a outra mão e corremos pela rua, rindo no escuro e sem fôlego quando finalmente chegamos ao carro dele. Ele não tinha mentido. Era realmente um Honda Civic, embora, se serve de consolo, fosse um modelo mais novo. Ele me encostou na porta, jogou meus sapatos no chão e enfiou a mão nos meus cabelos.

Olhei para o carro por cima do ombro.

— *Este* é mesmo seu carro?

Ele sorriu, pegou a chave no bolso do paletó e destrancou o carro para provar que era dele, o que me fez rir.

Estava me encarando, nossas bocas *muito perto*, e eu podia jurar que ele já imaginava como seria a vida comigo. É impossível olhar para alguém do jeito que ele me olhava — com todo o peso do passado — sem imaginar o futuro.

Ele fechou os olhos e me beijou. Era um beijo cheio de desejo mas também de respeito. Muitos homens não imaginam que os dois podem andar juntos.

Era gostoso sentir seus dedos em meu cabelo e sua língua na minha boca. Era gostoso para ele também. Dava para sentir pelo jeito que me beijava. Sabíamos tão pouco um sobre o outro, mas era melhor assim. Dar um beijo tão íntimo num estranho era como dizer: "Não te conheço, mas acho que ia gostar de você se conhecesse."

Era bom saber que ele acreditava poder gostar de mim. Quase me fazia sentir como uma pessoa possível de se gostar.

Eu só queria ir com ele. Queria minha boca junto à dele, meus dedos entrelaçados aos dele. Era uma tortura ficar sentada no banco do carona enquanto ele dirigia. Eu estava queimando por dentro. Ele acendeu um fogo dentro de mim, e eu estava determinada a não deixar que se apagasse.

Ele me alimentou antes de trepar comigo.

Fomos ao Steak 'n Shake e sentamos lado a lado na cabine, comendo batatas fritas e bebendo milkshake enquanto nos beijávamos. O restaurante estava vazio, ficamos numa cabine afastada, no canto, então ninguém percebeu quando ele deslizou a mão pela minha coxa e se perdeu no meio das minhas pernas. Ninguém ouviu quando gemi. Ninguém se deu conta também quando ele tirou a mão e sussurrou que não ia me fazer gozar no Steak 'n Shake.

Eu não teria me incomodado.

— Vamos para sua cama então.

E fomos. A cama dele ficava no meio de um conjugado no Brooklyn. Jeremy não era rico. Ele mal podia pagar o lanche do Steak 'n Shake. Mas eu não estava nem aí. Estava deitada em sua cama, admirando-o enquanto ele tirava a roupa, quando percebi que estava prestes a fazer amor pela primeira vez. Já fizera sexo antes, mas sempre apenas com meu corpo.

Desta vez estava usando bem mais do que meu corpo. Meu coração parecia preenchido — ou algo assim, não sei. Com os homens que vieram antes de Jeremy, meu coração estava sempre vazio.

É incrível como o sexo é diferente quando se usa mais do que o corpo. Estava ali com meu coração, minhas vísceras, minha mente, minha esperança. Estava entregue à paixão naquele momento. Não necessariamente me apaixonei. Apenas... *me joguei.*

Era como se estivesse à beira de um penhasco durante toda minha vida e, finalmente, com Jeremy, senti confiança para pular. Pela primeira vez, eu tinha certeza de que não ia cair. Ia continuar voando.

Olhando para trás, percebo que foi uma loucura me apaixonar por ele tão rápido. Mas isso só aconteceu porque a noite não terminou. Se eu tivesse ido embora do apartamento na manhã seguinte, teria sido só mais uma diversão de uma noite. Eu não estaria lembrando tudo isso tantos anos depois. Mas não fui embora na manhã seguinte. O sentimento apenas cresceu. A cada dia que passava, aquela primeira noite parecia mais legítima. Era amor à primeira vista. Você só compreende que é amor à primeira vista depois que passa tempo suficiente com a pessoa.

Não saímos do apartamento dele por três dias.

Pedimos comida chinesa. Transamos. Comemos pizza. Transamos. Assistimos a TV. Transamos.

Na segunda-feira, ligamos para os respectivos trabalhos para dizer que estávamos doentes. Na terça-feira eu já estava obcecada. Obcecada por sua risada, seu pau, sua boca, suas habilidades, suas mãos, sua confiança, sua gentileza. Obcecada por uma necessidade nova e intensa de agradá-lo.

Precisava agradá-lo.

Precisava ser a razão de ele sorrir, respirar, levantar da cama de manhã.

E, por um tempo, eu fui. Ele me amava mais do que a qualquer outra coisa. Eu era sua única razão para viver.

Até o dia em que descobriu algo que era mais importante para ele do que eu.

5

Já passei da fase de remexer a gaveta de calcinhas normais de Verity. Agora estou vasculhando as de seda e de renda. Tenho total consciência de que não deveria ler isso. Não é para isso que vim aqui. Mas...

Deixo o manuscrito no sofá ao meu lado e fico o encarando. Tenho tantas perguntas sobre Verity. Perguntas que não posso fazer a ela e que Jeremy provavelmente não me responderia. Preciso conhecê-la melhor para entender como funciona sua mente. E que jeito melhor para conseguir respostas do que numa autobiografia? Ainda mais uma brutalmente honesta como essa.

Mas é claro que isso vai me distrair, e não posso fazer isso. Estou aqui para pegar o que preciso e sair da vida dessa família. Eles já passaram por muita coisa e não precisam de uma intrusa bisbilhotando sua roupa íntima.

Ando até a enorme escrivaninha e pego meu celular. Já passa das onze da noite. Cheguei aqui por volta de sete da noite, mas não esperava que fosse tão tarde. Não ouvi absolutamente nada fora do escritório. É como se fosse à prova de som.

Bom, provavelmente é. Se eu pudesse pagar por um escritório à prova de som, eu faria isso.

Estou com fome.

É estranho ter fome numa casa que você não conhece bem. Mas Jeremy disse para ficar à vontade, então me encaminho para a cozinha.

Não chego muito longe. Paro assim que abro a porta.

Sem dúvida o escritório é à prova de som, ou eu teria ouvido esse barulho. Vem do andar de cima. Paro por um momento para prestar atenção. E rezo para que não seja o que estou pensando.

Ando com cuidado até a base da escada. Com certeza o barulho vem do quarto de Verity. A cama está rangendo. Rangendo *repetidamente*, como faria se um homem e uma mulher estivessem transando.

Ah, meu Deus. Cubro minha boca com a mão. *Não, não, não!*

Li uma reportagem sobre isso uma vez. Uma mulher sofreu um acidente de carro e estava em coma. Vivia numa casa de repouso e seu marido a visitava todos os dias. A equipe começou a desconfiar que ele estivesse transando com a mulher em coma, e então instalaram câmeras. O homem foi preso por estupro porque não havia como a mulher dar consentimento.

Assim como Verity.

Eu devia fazer algo. Mas o quê?

— É barulhento, eu sei.

Viro num sobressalto dando de cara com Jeremy.

— Posso desligar se estiver incomodando.

— Você me assustou.

Minha voz está ofegante. Dou um suspiro de alívio ao perceber que o barulho não é o que estava pensando. Jeremy olha para cima.

— É a cama de hospital. Tem um temporizador que levanta diferentes partes do colchão a cada duas horas. É para aliviar os pontos de pressão.

Posso sentir o constrangimento subindo pela minha espinha. Rezo para que ele não adivinhe meus pensamentos. Cubro meu peito com as mãos sabendo que estou toda vermelha. Sou muito branca e sempre que fico nervosa ou constrangida minha pele me entrega, ficando cheia de placas vermelhas. Queria afundar nesse carpete luxuoso e desaparecer.

Limpo a garganta.

— Jura que fazem camas assim?

Teria sido útil para a minha mãe quando estava sob cuidados paliativos. Era um inferno movê-la sozinha.

— Sim, mas são absurdamente caras. Coisa de milhares de dólares por uma nova, e o seguro não cobre.

Engasgo só de ouvir o preço.

— Estou esquentando umas sobras. Está com fome?

— Estava mesmo indo para a cozinha.

Ele dá alguns passos para trás.

— É pizza.

— Perfeito.

Odeio pizza.

O micro-ondas apita bem na hora que Jeremy entra na cozinha. Ele retira o prato de pizza, me entrega e faz outro para si.

— Como estão as coisas lá no escritório?

— Tudo bem — respondo, pegando uma garrafa de água na geladeira e sentando à mesa. — Mas você tinha razão. É muita coisa. Vou levar uns dias.

Ele encosta no balcão enquanto espera a pizza.

— Você trabalha melhor à noite?

— Sim, fico acordada até bem tarde e durmo durante a manhã. Espero que não seja um problema.

— De jeito nenhum. Também sou notívago. A enfermeira de Verity vai embora no início da noite e volta às sete da manhã, então fico acordado até meia-noite para dar os remédios da madrugada. Quando a enfermeira chega, ela assume.

Ele pega a pizza no micro-ondas e senta a minha frente.

Não consigo fazer contato visual. Quando olho para ele só penso na parte do manuscrito em que Verity fala sobre a mão entre suas pernas no Steak 'n Shake. *Meu Deus, não devia ter lido aquilo*. Agora vou corar todas as vezes que olhar para ele. Além disso, as mãos de Jeremy são muito bonitas, o que não ajuda em nada.

Preciso mudar o rumo dos meus pensamentos.

Agora.

— Ela alguma vez comentou sobre a série? Os planos para os personagens? Como pretendia terminar?

— Se falou, não me lembro — responde ele, olhando para o prato e movendo distraidamente um pedaço de pizza. — Ela não escrevia nada há muito tempo. Nem mesmo *falava* sobre escrever.

— Há quanto tempo ela sofreu o acidente?

Já sei essa resposta, mas ele não precisa saber que andei investigando a família no Google.

— Pouco depois da morte de Harper. Ela ficou em coma no hospital por um tempo, depois passou algumas semanas num centro de reabilitação intensiva. Tem poucas semanas que está em casa.

Ele come mais um pedaço da pizza. Puxar o assunto faz com que eu me sinta culpada, mas ele não parece incomodado.

— Antes de a minha mãe morrer, eu era a única que cuidava dela. Não tenho irmãos, então sei que não é fácil.

— *Não é* fácil — concorda Jeremy. — Sinto muito por sua mãe, aliás. Não sei se cheguei a dizer isso quando me contou no banheiro da cafeteria.

Sorrio para ele, mas não digo muito mais sobre o assunto. Não quero que ele pergunte sobre ela. Quero manter o foco nele e em Verity.

Minha mente continua voltando ao manuscrito porque, embora eu não saiba quase nada sobre esse homem, é quase como se o conhecesse bem. No mínimo conheço a forma como Verity o descreve.

Estou curiosa para saber como era o casamento dos dois e por que ela terminou o primeiro capítulo com aquela frase. "Até o dia em que descobriu algo que era mais importante para ele do que eu."

É uma frase alarmante. Como se estivesse prestes a revelar, no próximo capítulo, um segredo terrível e obscuro sobre este homem. Ou talvez seja apenas uma estratégia narrativa e ela vá dizer que ele é um santo e amava mais os filhos do que ela.

Não importa a explicação, estou doida para ler o próximo capítulo. Ainda mais olhando para ele agora. Odeio que haja tantas outras coisas a fazer quando meu único desejo era me aninhar no sofá e ler sobre o casamento de Verity e Jeremy. É meio patético.

E talvez o texto nem seja sobre eles. Conheço uma escritora que usava o nome do marido em todo manuscrito até se decidir pelo nome do personagem. Talvez Verity tenha feito isso. Pode ser só mais uma ficção e o nome de Jeremy é um substituto.

Acho que só tem um jeito de descobrir se é verdade.

— Como você e Verity se conheceram?

Jeremy abocanha um pedaço de pepperoni e dá um risinho.

— Numa festa — conta, recostando-se na cadeira. É a primeira vez que ele não parece triste. — Ela estava com o vestido mais incrível que já vi. Era vermelho e tão longo que arrastava no chão. *Nossa*, estava linda — diz com certa melancolia. — Saímos da festa juntos. Do lado de fora vi uma limusine estacionada, então abri a porta, entramos e conversamos um pouco. Até que o motorista apareceu e tive que admitir que a limusine não era minha.

Preciso fingir que não sei de nada disso, então forço uma gargalhada.

— E não era sua?

— Não, só estava tentando impressioná-la. Tivemos que fugir porque o motorista ficou bem irritado.

Ele ainda está sorrindo, como se tivesse voltado àquela noite com Verity e seu vestido vermelho perfeito para trepar.

— Ficamos inseparáveis depois daquilo.

É difícil sorrir para ele. Para *eles*. Ouvir o quanto pareciam felizes e depois ver o que a vida deles se tornou. Imagino até onde a autobiografia vai. Logo no começo ela menciona a morte de Chastin. Significa que escreveu, ou pelo menos adicionou conteúdo ao livro, depois da primeira tragédia. Há quanto tempo será que está escrevendo?

— Verity já era escritora quando a conheceu?

— Não, ainda estava na faculdade. Depois, quando tive que morar em Los Angeles a trabalho por uns meses, ela escreveu o primeiro livro. Acho que foi a maneira que encontrou de passar o tempo enquanto eu não voltava. Foi recusada por algumas editoras a princípio, mas, assim que vendeu o primeiro manuscrito, tudo simplesmente... Aconteceu muito rápido. Nossas vidas mudaram do dia para a noite.

— Como ela lidou com a fama?

— Acho que foi mais difícil para mim do que para ela.

— Porque você gostava de ser invisível?

— É tão óbvio assim?

— Eu entendo. Eu apoio a causa dos introvertidos.

Ele ri.

— Verity não é uma escritora típica. Adora ser o centro das atenções, gosta dos eventos sofisticados. Tudo isso me deixa muito desconfortável. Gosto de ficar aqui com as crianças.

Sua expressão muda sutilmente quando ele percebe que falou das meninas no presente.

— Gosto de ficar com Crew — corrige-se.

Ele balança a cabeça e põe as mãos no pescoço, se esticando.

— Às vezes é difícil. Lembrar que elas não estão mais aqui — diz com a voz suave, olhando para o nada. — Ainda encontro fios de cabelo no sofá. Meias na secadora. Às vezes chamo os nomes delas quando quero mostrar alguma coisa, e me esqueço de que elas não vão vir correndo pela escada.

Olho para ele com atenção porque não estou totalmente convencida. Escrevo livros de suspense. Sei que, quando há uma situação suspeita, quase sempre há pessoas suspeitas junto. Estou dividida entre querer saber mais sobre o que aconteceu com as meninas e fugir daqui o mais rápido possível.

Mas no momento ele não me parece um homem que está fingindo para obter solidariedade. Parece um homem compartilhando seus pensamentos em voz alta pela primeira vez.

E me incentiva a fazer o mesmo.

— Minha mãe morreu há pouco tempo, mas entendo. Todas as manhãs, na primeira semana, eu preparava o café da manhã dela até lembrar que ela não estava lá.

Jeremy descansa os braços na mesa.

— Fico me perguntando por quanto tempo isso vai durar. Ou se vai ser para sempre.

— Acho que o tempo ajuda, mas talvez não seja má ideia pensar em se mudar. Se estiver numa casa onde elas nunca estiveram, talvez as lembranças esmoreçam. Ajudaria a ter uma vida mais normal.

Ele passa a mão pela barba.

— Não sei se quero uma vida normal onde não haja lembranças de Harper e Chastin.

— Sim — concordo. — Eu também não ia querer.

Seus olhos continuam em mim, mas de um jeito quieto. Às vezes uma troca de olhares dura tanto tempo que chega a desestabilizar, obrigando uma das pessoas a desviar o olhar.

Então eu desvio.

Olho meu prato e passo os dedos pela borda ornamentada. Seu olhar parecia estar indo além dos meus olhos, diretamente para minha mente. Mesmo que não tenha intenção, parece muito íntimo. Quando Jeremy me olha, sinto como se estivesse explorando as partes mais profundas de mim.

— Preciso voltar ao trabalho — digo quase sussurrando.

Ele fica imóvel por alguns segundos, mas logo se ajeita na cadeira como se tivesse saído de um transe.

— É, preciso organizar os remédios de Verity.

Ele pega nossos pratos e os coloca na pia enquanto saio da cozinha.

— Boa noite, Low.

Quando o ouço me chamar daquele jeito, meu "boa noite" fica entalado na garganta. Só consigo dar um sorriso e sair correndo para o escritório de Verity.

Quanto mais tempo passo com Jeremy, mais anseio por mergulhar de novo naquele manuscrito e conhecê-lo melhor.

Pego o rascunho no sofá, desligo as luzes do escritório e sigo para o quarto. Não há tranca na porta, então arrasto uma cômoda de madeira para bloqueá-la.

Estou exausta da viagem e ainda preciso de um banho, mas consigo ler pelo menos mais um capítulo antes de dormir.

Preciso conseguir.

Capítulo Dois

Poderia escrever livros inteiros sobre nossos dois primeiros anos de namoro, mas não venderiam nada. Não havia drama entre Jeremy e eu. Praticamente nenhuma briga. Nenhuma tragédia para colocar no papel. Dois anos de amor "água com açúcar" e verdadeira adoração um pelo outro.

Eu. Estava. *Caída*. Por. Ele.

Viciada nele.

Acho que não era muito saudável o quanto eu era emocionalmente dependente dele. *Ainda* sou, na verdade. Quando você encontra alguém que termina com a negatividade da vida, acaba se alimentando dessa pessoa. Eu me alimentava de Jeremy para manter a alma viva. Vivia faminta e vazia antes de conhecê-lo, mas agora sua presença me nutria. Às vezes achava que, se o perdesse, meu corpo pararia de funcionar.

Estávamos namorando havia quase dois anos quando ele foi transferido para Los Angeles temporariamente. Morávamos juntos por pouco tempo, extraoficialmente. Digo extraoficialmente porque chegou um momento em que simplesmente parei de voltar para casa. Parei de pagar as contas, o aluguel. Jeremy só descobriu que eu não tinha mais meu apartamento dois meses depois de já ter abandonado o lugar completamente.

Numa noite, no meio do sexo, Jeremy sugeriu que fosse morar com ele. É um costume dele tomar decisões importantíssimas sobre nosso relacionamento enquanto transamos.

— Venha morar comigo — sugeriu, enquanto me penetrava devagar. Colou a boca na minha — Encerre o contrato de aluguel.

— Não posso — sussurrei em resposta.

Ele parou de se mover e me encarou.

— Por que não?

Coloquei as mãos em seu traseiro para que voltasse a se mover.

— Porque encerrei o aluguel há dois meses.

Ele ficou parado ali, me olhando com aqueles olhos verdes intensos e cílios pretíssimos. Eu esperava o gosto de alcaçuz que viria com seu beijo.

— Então já estamos *morando* juntos? — perguntou.

Concordei com a cabeça e percebi que sua reação não foi bem a que eu esperava. Ele foi pego de surpresa. Eu precisava consertar as coisas e distraí-lo. Fazê-lo perceber que aquilo não era nada demais.

— Achei que tinha mencionado.

Ele saiu de dentro de mim, como se quisesse me punir.

— Você *não* me falou que a gente estava morando junto. Acho que eu me lembraria.

Sentei-me e me posicionei de joelhos, de frente para ele, cara a cara. Passei os dedos por seu queixo, aproximando minha boca da sua.

— Jeremy, em seis meses não passei nenhuma noite longe de você. Já estamos morando juntos há tempos.

Segurei em seus ombros e o empurrei na cama, com a cabeça no travesseiro. Queria subir nele e beijá-lo, mas ele ainda parecia estar com raiva de mim. Como se ainda quisesse conversar sobre aquele assunto, que eu considerava encerrado.

Eu não *queria* falar mais nada. Só queria que ele me fizesse gozar.

Então montei em seu rosto e me posicionei bem na sua língua. Foi delicioso sentir suas mãos agarrando meu traseiro e me puxando para mais perto da boca. *É por isso que vim morar com você, Jeremy.*

Inclinada para a frente, eu me agarrei à cabeceira da cama e precisei mordê-la para sufocar os gritos.

E foi assim que terminou a discussão.

Foi a época mais feliz da minha vida até que ele foi transferido. Claro, era temporário, mas como eu poderia funcionar sozinha sem minha fonte de sobrevivência?

Era assim que eu me sentia, como se o único alimento para minha alma tivesse sido arrancado de mim. Claro, eu me abastecia de pequenas doses dele quando me ligava ou conversávamos por vídeo, mas aquelas noites sozinha em nossa cama eram devastadoras.

Às vezes montava no travesseiro e mordia a cabeceira enquanto me tocava, fingindo que era ele embaixo de mim. Mas, depois de gozar, voltava a me deitar naquela cama vazia e a encarar o teto, imaginando como havia vivido por tantos anos sem ele em minha vida.

Não podia compartilhar esse tipo de pensamento com ele, é claro. Estava obcecada, mas uma mulher sabe que, para manter um homem a seu lado para sempre, precisa agir como se ele fosse descartável.

E foi aí que virei escritora.

Passava meus dias pensando em Jeremy, e se não conseguisse pensar em outra coisa até que ele voltasse, seria difícil esconder o quanto sua ausência me destroçou. Criei um Jeremy na ficção e o batizei de Lane. Toda vez que sentia falta de Jeremy, escrevia um capítulo sobre Lane. Nos meses seguintes, minha vida deixou de se concentrar em Jeremy e passou a se focar nesse personagem. Que também era Jeremy, de alguma forma. Mas me pareceu mais produtivo escrever do que simplesmente ficar obcecada.

Escrevi um romance inteiro nos poucos meses em que ele esteve fora. No dia em que voltou de surpresa, eu tinha acabado de editar a última página.

Era o destino.

Dei as boas-vindas com um boquete. Foi a primeira vez que engoli. Esse era meu nível de felicidade ao vê-lo.

Depois de engolir, fingi naturalidade muito bem, sorrindo para ele. Jeremy ainda estava parado na porta, completamente vestido, com exceção da calça jeans abaixada até os joelhos. Dei um beijo em sua bochecha e disse:

— Volto já.

Entrei no banheiro, tranquei a porta, abri a torneira e vomitei no vaso. Quando deixei que gozasse em minha boca, não imaginei que seria tanto. Ou que teria que ficar engolindo por tanto tempo. Foi difícil manter a pose enquanto seu pau estava na minha garganta, me sufocando.

Escovei os dentes e voltei ao quarto, onde o encontrei sentado à minha escrivaninha. Ele segurava algumas páginas do manuscrito.

— Você escreveu isso? — perguntou, virando a cadeira para mim.

— Sim, mas não quero que leia.

As palmas de minhas mãos começaram a suar. Eu as sequei na barriga e andei na direção da escrivaninha. Tentei tirar as páginas dele, que se levantou e as segurou acima da cabeça, onde eu não alcançava.

— Por que não posso ler?

Pulei, tentando puxar seu braço e alcançar as páginas.

— Ainda precisa de ajustes.

— Tudo bem — respondeu, dando um passo para trás. — Ainda assim, quero ler.

— Não quero que leia.

Jeremy juntou o restante do manuscrito e segurou contra o peito. Ele estava prestes a ler e eu só pensava em impedi-lo. Não sabia se era bom, e estava com medo — estava apavorada — de que ele me achasse uma escritora ruim e me amasse menos por isso. Subi pela cama para tentar alcançá-lo mais rápido, mas ele conseguiu entrar no banheiro e trancar a porta.

Bati.

— Jeremy! — gritei.

Nenhuma resposta.

Ele me ignorou por dez minutos enquanto eu tentava abrir a porta com um cartão de crédito. Um grampo de cabelo. Promessas de mais um boquete.

Mais quinze minutos se passaram até que ele enfim desse sinal de vida.

— Verity?

Estava sentada no chão a essa altura, escorada na porta do banheiro.

— O quê?

— É bom.

Não respondi.

— É muito bom. Estou muito orgulhoso de você.

Sorri.

Foi a primeira vez que experimentei a sensação de ter um leitor desfrutando de algo criado para ele. Por causa daquele comentário — um comentário fofo, simples —, quis que ele continuasse lendo. Parei de perturbá-lo depois daquilo. Fui para a cama, me aninhei embaixo das cobertas e dormi com um sorriso no rosto.

Ele me acordou duas horas depois. Seus lábios tocavam meu ombro, seus dedos traçavam uma linha invisível da minha cintura até o quadril. Estava atrás de mim, de conchinha, perfeitamente encaixado. Senti tanto sua falta.

— Está acordada? — sussurrou.

Dei uma leve gemida para dizer que sim.

Ele beijou minha orelha.

— Porra, você é brilhante.

Acho que nunca dei um sorriso igual àquele. Ele me virou de barriga para cima e tirou o cabelo do rosto.

— Espero que esteja pronta.

— Para quê?

— Para a fama.

Eu ri, mas ele não. Tirou as calças e a minha calcinha. Ao penetrar em mim, disse:

— Acha que estou brincando?

Continuou, depois de me beijar.

— Sua escrita vai te deixar famosa. Você tem um cérebro incrível. Transaria com ele se pudesse.

Minha risada se misturou com um gemido, porque ele continuava a me penetrar.

— Está dizendo isso porque acredita mesmo? Ou só porque me ama?

Jeremy não respondeu de cara. Os movimentos começaram a ficar mais lentos e decididos. Seu olhar era intenso.

— Quer casar comigo, Verity?

Não reagi, achei que não tinha ouvido direito. *Ele acabou de me pedir em casamento*? Pelo olhar dele era claro que estava apaixonado por mim. Eu devia ter dito sim na hora, era o que meu coração mandava. Mas não disse.

— Por quê?

— Porque — disse Jeremy, abrindo um sorriso — eu sou seu maior fã.

Eu ri, mas seu sorriso logo desapareceu quando começou a me penetrar de verdade. Estocadas rápidas, fortes, ele sabia que me deixavam louca. A cabeceira batia contra a parede, o travesseiro começava a escorregar.

— Case comigo — pediu novamente, e enfiou a língua em minha boca, no primeiro beijo que trocamos depois de meses.

Ansiávamos tanto um pelo outro naquele momento que o movimento dos corpos tornava difícil a sincronia das bocas. Foi um beijo confuso e meio dolorido.

— Está bem — murmurei.

— Obrigado — respondeu em meio a um gemido ofegante, quase sem voz.

Ele continuou me penetrando, agora sua noiva, até estarmos cobertos de suor e com gosto de sangue na boca, onde me mordeu sem querer. Ou talvez eu tenha mordido. Não tenho certeza, mas não importava. Meu sangue agora estava misturado ao dele.

Jeremy gozou dentro de mim, sem camisinha, com a língua dentro da minha boca, a respiração em minha garganta, nossas eternidades entrelaçadas.

Quando terminou, desceu da cama para pegar algo na calça jeans no chão, voltou para cima de mim, segurou a minha mão e colocou uma aliança no meu dedo.

Ele já havia planejado o pedido de casamento.

Nem olhei a aliança. Coloquei as mãos acima da cabeça e fechei os olhos porque sua mão já estava entre minhas pernas e sabia que ele queria me ver gozar.

E eu gozei.

Durante dois meses pensamos naquela noite como a noite do nosso noivado. Durante dois meses eu abria um largo sorriso toda vez que olhava para a aliança. Durante dois meses, chorava só de pensar como seria nosso casamento. Como seria nossa *noite* de núpcias.

Mas foi então que a *noite do noivado* se tornou a *noite em que engravidamos.*

É aqui que as coisas começam a ficar feias. As vísceras desta autobiografia. A partir deste ponto, outros autores começariam a jogar uma luz mais favorável sobre si mesmos em vez de se mostrarem totalmente.

Mas não há luz nenhuma onde estamos indo. Este é seu último aviso.

Escuridão à frente.

6

O que o escritório de Verity tem de melhor é a vista. As janelas vão do chão até o teto. É um painel enorme de puro vidro, então consigo ver absolutamente tudo. *Quem será que limpa isso?* Examino para ver se há uma mancha, uma sujeirinha. Nada.

O que o escritório tem de pior *também* é a vista dessas janelas. A enfermeira colocou a cadeira de rodas de Verity na varanda dos fundos, bem em frente ao escritório. Consigo vê-la de perfil, olhando para o oeste da varanda. Está um dia lindo, e a enfermeira está sentada à sua frente, lendo um livro para ela. Verity olha para o nada e me pergunto se ela compreende algo. E o mais importante: o quanto compreende?

Seus cabelo finos se levantam com o vento suave, como se os dedos de um fantasma os manipulassem.

Toda vez que olho para ela, sinto mais empatia. É exatamente por isso que prefiro não olhar, mas essas janelas tornam a tarefa impossível. Não consigo ouvir o que a enfermeira está lendo, acredito que as janelas sejam à prova de som como o resto do escritório. Mas sei que estão lá, então é difícil me concentrar no trabalho sem dar uma olhadinha de vez em quando.

Ainda não encontrei muitas anotações sobre a série. Só consegui pesquisar uma pequena parte do material. Esta manhã decidi que era melhor me dedicar a esmiuçar o primeiro e o segundo livros, fazendo anotações sobre cada personagem. Resolvi criar um sistema de arquivamento para mim, pois preciso conhecer esses personagens tanto quanto Verity os conhece. Preciso entender o que os motiva, o que os comove, o que os incentiva a agir.

Vejo movimento lá fora. Quando olho, a enfermeira está voltando para dentro de casa. Observo Verity por um momento, imaginando se ela vai reagir agora que a enfermeira parou de ler. Não há qualquer movimentação. Ela está com as mãos no colo e a cabeça pende para o lado, como se o cérebro não fosse capaz nem de enviar uma mensagem para que ajeite a postura e não tenha dor no pescoço.

A Verity talentosa e inteligente não está mais ali. Será que apenas seu corpo sobreviveu ao acidente? É como se ela fosse um ovo que foi aberto e teve o conteúdo jogado fora. Tudo o que sobrou foram os fragmentos da casca.

Olho de volta para a escrivaninha e tento me concentrar, mas não consigo evitar imaginar como Jeremy está lidando com isso tudo. Ele parece uma fortaleza de concreto maciço por fora, mas *só pode* estar oco por dentro. É muito decepcionante aceitar que esta é sua vida agora. Tomar conta de um ovo sem gema.

Acho que isso é rude.

Não era minha intenção ser rude. É que... Não sei. Creio que teria sido melhor para todos se ela não tivesse sobrevivido ao acidente. Imediatamente me sinto culpada ao pensar nisso, mas logo me lembro dos meses que passei cuidando da minha mãe. Sei que ela ia preferir a morte à debilidade causada pelo câncer. Mas foram só alguns meses da vida dela... e da minha. No caso de Jeremy, é para a vida *inteira*. Tomar conta de uma esposa que não é mais sua esposa. Preso a uma casa que não parece mais uma casa. E não imagino que Verity desejaria uma vida assim para ele. Não imagino que desejaria uma vida assim *a si mesma*. Não consegue brincar nem conversar com seu filho.

Rezo para que sua consciência não esteja mais lá, para seu próprio bem. Não consigo imaginar seu desespero caso o dano cerebral a tenha impedido de se expressar fisicamente, de reagir, interagir ou verbalizar o que pensa.

Levanto a cabeça mais uma vez.

Ela está olhando diretamente para mim.

Dou um pulo e a cadeira desliza pelo piso de madeira. Verity está olhando para mim, a cabeça virada em minha direção, seus olhos colados nos meus. Levo a mão à boca e recuo, sinto-me ameaçada.

Quero sair de seu campo de visão, então me movo para a esquerda, em direção à porta. Por um momento não consigo escapar de seu olhar. É como se ela fosse a Mona Lisa, me seguindo não importa aonde eu vá. Mas quando chego à porta, o contato visual se rompe.

Seus olhos não me seguiram.

Finalmente relaxo a mão, encosto na parede e fico olhando enquanto April volta para a varanda com uma toalha. Ela seca o queixo de Verity e coloca um pequeno travesseiro entre o ombro e a bochecha, levantando sua cabeça. Assim, ela não olha mais para a janela.

— Merda — sussurro para ninguém.

Estou com medo de uma mulher que mal pode se mover e não consegue falar. Uma mulher que não consegue virar a cabeça, muito menos fazer contato visual.

Preciso de uma água.

Abro a porta do escritório mas deixo escapar um gritinho quando meu celular toca.

Droga. Odeio adrenalina. Meu pulso está acelerado, mas respiro fundo e tento me acalmar para atender ao telefone. É um número desconhecido.

— Alô?

— Sra. Ashleigh?

— Sou eu.

— Aqui é Donovan Baker, da Apartamentos Creekwood. Você preencheu uma ficha conosco há alguns dias?

É um alívio ter uma distração. Ando de volta até a janela, e a enfermeira moveu Verity de lugar de modo que agora só consigo ver a parte de trás de sua cabeça.

— Sim, como posso ajudá-lo?

— Estou ligando porque sua ficha foi avaliada hoje. Infelizmente há um despejo recente em seu nome, então não podemos aprová-la para alugar o apartamento.

Mas já? Eu saí de lá há alguns dias.

— Mas minha ficha já tinha sido aprovada. Minha mudança é na semana que vem.

— Na verdade você tinha sido apenas *pré*-aprovada. A ficha só foi completamente avaliada hoje. Não podemos aprovar fichas com despejos recentes. Espero que compreenda.

Aperto a parte de trás do pescoço. Só terei dinheiro daqui a duas semanas.

— Por favor — insisto, tentando soar menos patética do que me sinto. — Nunca atrasei um aluguel na vida antes dessa vez. Acabei de ser contratada em um novo trabalho. Se deixar eu me mudar agora, daqui a duas semanas posso pagar o aluguel do *ano* inteiro.

— Você pode recorrer da decisão. Pode levar algumas semanas, mas já vi fichas serem aprovadas quando há atenuantes.

— Não tenho algumas semanas. Já saí do apartamento anterior.

— Sinto muito. Enviarei nossa decisão por e-mail e, no fim da mensagem, há o contato para recorrer. Tenha um bom dia, Sra. Ashleigh.

Ele desliga, mas continuo com o telefone colado à orelha enquanto aperto a parte de trás do pescoço. Espero acordar desse pesadelo a qualquer minuto. *Muito obrigada, mãe.* O que vou fazer agora?

Há uma leve batida à porta. Viro-me, sobressaltada. *Não estou conseguindo lidar com o dia de hoje.* Jeremy está parado na porta, me olhando com uma expressão solidária.

Deixei a porta aberta quando o telefone tocou. Provavelmente ele ouviu tudo. Posso adicionar "humilhação" à lista de palavras para descrever este dia.

Coloco o celular na escrivaninha e desabo na cadeira.

— Minha vida nem sempre foi essa zona.

Ele ri um pouco e entra no escritório.

— Nem a minha.

Fico feliz com o comentário. Olho para o telefone.

— Está tudo bem — digo, rodando o telefone na mesa. — Vou dar um jeito.

— Posso emprestar dinheiro até seu adiantamento ser liberado pelo agente. Teria que tirar do nosso fundo, mas consigo em três dias.

Nunca senti tanta vergonha, e ele percebe, porque praticamente me encolho e enfio o rosto nas mãos.

— É muito gentil, mas não posso aceitar um empréstimo seu.

Ele fica parado por um momento, depois se senta no sofá. Inclina-se para frente, entrelaçando as mãos.

— Então fique aqui até receber o adiantamento. Deve demorar uma ou duas semanas — diz, olhando em volta o quanto *não* progredi desde que cheguei. — Não tem problema para a gente. Você não está atrapalhando.

Balanço a cabeça, mas ele me interrompe.

— Lowen, esse trabalho não é fácil. É melhor ficar tempo demais aqui se preparando do que voltar para Nova York amanhã e se dar conta de que devia ter ficado mais.

Realmente preciso de mais tempo. Mas duas semanas *nesta* casa? Com uma mulher que me assusta, um manuscrito que não devia ler e um homem sobre quem sei detalhes íntimos demais?

Não é uma boa ideia. Nada disso é uma boa ideia.

Começo a balançar a cabeça novamente, mas ele levanta a mão.

— Pare de ser educada. Pare de sentir vergonha. Apenas diga "tudo certo".

Olho para trás dele, todas aquelas caixas empilhadas nas quais ainda nem toquei. E então penso que, em duas semanas, vou conseguir ler cada livro da lista, fazer anotações sobre todos eles e talvez até começar a rascunhar os três novos.

Suspiro e concordo, um pouco aliviada.

— Tudo certo.

Ele sorri de leve, levanta e vai até a porta.

— Obrigada — digo.

Jeremy se vira para mim. E me arrependo de não ter deixado que ele saísse sem dizer nada, porque agora consigo ver um vestígio de arrependimento em seu rosto. Ele abre a boca como se fosse dizer "De nada" ou "Sem problemas". Mas fecha a boca, dá um sorriso meio forçado, sai e fecha a porta.

***

Mais cedo, Jeremy disse que eu precisava ir lá fora ver o pôr do sol antes que desaparecesse por trás das montanhas. "Vai entender por que Verity quis essa vista da janela do escritório."

Trouxe um dos livros para ler na varanda. Há umas dez cadeiras diferentes, então escolho uma à mesa. Jeremy e Crew estão à beira do rio, no deque, jogando pequenos pedaços de madeira na água. É bem fofo ver Crew pegando os gravetos que Jeremy lhe entrega. O menino os carrega até uma pilha enorme, depois volta para pegar outros com o pai. Jeremy fica esperando a cada vez, porque Crew demora mais para colocar o graveto na pilha do que Jeremy demora para arrancá-los do tronco. Dá para notar sua paciência como pai.

Jeremy lembra um pouco meu pai. Ele morreu quando eu tinha 9 anos, e acho que nunca o vi irritado. Nem mesmo com minha mãe, uma pessoa de temperamento difícil e sempre cheia de comentários maldosos. Ao longo da vida isso passou a me incomodar. Achava que toda aquela paciência com a minha mãe era uma fraqueza.

Fico observando Crew e Jeremy por mais algum tempo enquanto tento terminar um capítulo. Mas está meio difícil me concentrar porque Jeremy tirou a camisa há alguns minutos. Eu já o tinha visto tirar a camisa antes, mas nunca sem outra por baixo. A pele está lisinha depois de duas horas de suor ali no deque. Quando ele bate na madeira com o martelo, os músculos das costas se alongam e imediatamente me vem à mente o segundo capítulo da autobiografia de Verity. O texto era bem explícito sobre a vida sexual deles que, ao que parece, era muito ativa. Mais do que eu jamais experimentei em qualquer relacionamento.

É difícil olhar para ele agora e *não* pensar em sexo. Não é que eu queira transar com ele. *Mas também não é que eu não queira.*

É que, como escritora, sei que ele é a inspiração para diversos personagens masculinos dos livros dela. Fico imaginando se não deveria também considerá-lo uma inspiração para escrever o resto da série. Quer dizer... Não seria a pior coisa do mundo. Ter que me colocar no lugar de Verity e ficar pensando em Jeremy durante os próximos 24 meses enquanto escrevo.

A porta dos fundos bate e desvio o olhar de Jeremy. April está parada no quintal, olhando para mim. Seu olhar segue a direção do meu, e depois volta para mim. Ela notou que eu estava admirando meu novo chefe. Patético.

Quanto tempo ela ficou ali espiando enquanto eu o olhava? Quero cobrir o rosto com o livro, mas acabo sorrindo como se não estivesse fazendo nada errado. Quer dizer, *eu realmente não estava*.

— Estou indo. Coloquei Verity na cama e liguei a televisão. Ela já jantou e tomou os remédios, caso ele pergunte.

Não sei por que ela está me dizendo isso. Não sou responsável por nada.

— Tudo bem. Boa noite.

Ela não me dá boa noite. Anda até a casa e bate a porta novamente ao passar. Logo depois ouço o barulho do motor do carro, e ela sai pela estrada, desaparecendo entre as árvores. Volto a olhar para os dois. Jeremy está cortando mais um pedaço de madeira.

Crew está olhando para mim, perto da pilha de madeira. Ele sorri e acena. Começo a levantar a mão para acenar de volta, mas logo desisto ao perceber que o menino não está acenando para mim. Está olhando um pouco mais para cima, à direita.

Está olhando para a janela do quarto de Verity.

Viro para olhar, mas é bem na hora que a cortina do quarto se fecha. Derrubo o livro na mesa e acabo derramando a garrafa de água nele. Levanto da cadeira e dou três passos para conseguir olhar melhor a janela, mas não há ninguém lá. Estou chocada. Olho de novo para Crew, mas ele já está de volta ao deque pegando mais um pedaço de madeira com Jeremy.

Estou vendo coisas.

Mas por que ele estava acenando para a janela? Se ela não estava lá, por que ele estava acenando?

Não faz sentido. Se ela estivesse na janela, Crew teria uma reação muito mais entusiasmada, considerando que ela não anda nem fala desde o acidente. Ou talvez ele não entenda que seria um milagre se sua mãe tivesse andado até a janela. Ele só tem 5 anos.

O livro está todo molhado. Eu o chacoalho um pouco para tentar salvá-lo. Dou um suspiro nervoso, parece que estou o dia inteiro prestes a ter uma síncope. Certamente ainda estou meio mexida depois do episódio da varanda mais cedo, em que ela parecia estar me olhando. Deve ser por isso que acreditei ter visto a cortina se mexer.

Parte de mim quer apenas deixar isso pra lá, se trancar no escritório e trabalhar pelo resto da noite. Mas sei que não vou conseguir se não for lá checá-la. Confirmar que não vi o que achei que vi.

Deixo o livro aberto na mesa para secar, entro na casa e vou em direção à escada. Tento não fazer barulho. Não sei por que acho que preciso ser silenciosa para dar uma olhada nela. Sei que ela não compreende muita coisa, então qual seria o problema de fazer barulho? Ainda assim, subo a escada silenciosamente, passo pelo corredor e chego à porta do quarto, que está entreaberta.

Consigo ver a janela que dá para o quintal dos fundos. Abro a porta devagar e estico o pescoço para dentro. Verity está deitada na cama, de olhos fechados, com as mãos ao lado do corpo, sobre o cobertor.

Dou um suspiro de alívio e fico ainda mais aliviada ao abrir a porta e notar um ventilador girando ao lado da cama. A cada vez que o vento aponta para a janela, a cortina se mexe.

Agora sim, o alívio é completo. *Era a droga do ventilador. Componha-se, Lowen.*

Desligo o ventilador porque está meio frio. É estranho que April o tenha deixado ligado. Olho de volta para Verity, que ainda dorme. Mas, ao chegar à porta, paro. Olho para a cômoda. O controle remoto está ali. Olho para a TV na parede.

Não está ligada.

April disse que ligou a TV antes de sair, mas está desligada.

Não olho para Verity novamente. Em vez disso, fecho a porta e saio correndo para o andar de baixo.

Não vou voltar mais lá para cima. Estou assustada. A pessoa mais indefesa da casa é a que me dá mais medo. Não faz sentido. Ela *não estava* me olhando pela janela do escritório. *Não estava* parada na janela do quarto olhando para Crew. E *não desligou* a TV. Provavelmente a televisão tinha sido programada para desligar depois de um tempo ou April apertou o botão duas vezes e acreditou ter ligado.

Mesmo sabendo que é tudo coisa da minha cabeça, volto ao escritório, fecho a porta e pego sua autobiografia para ler mais um capítulo. Talvez ler seu ponto de vista me deixe mais tranquila de que ela é inofensiva e de que só preciso me acalmar um pouco.

Capítulo Três

Sabia que estava grávida porque meus peitos estavam mais bonitos do que nunca.

Tenho um grande entendimento do meu próprio corpo: o que coloco nele, as maneiras corretas de nutri-lo e de mantê-lo em forma. Depois de passar a vida assistindo à minha mãe engordar por pura preguiça, eu malho diariamente, às vezes até duas vezes por dia.

Aprendi muito cedo que seres humanos não são compostos de uma coisa só. Somos duas partes que compõem o todo.

Temos a consciência, que inclui a mente e a alma, as partes intangíveis.

E temos o ser físico: a máquina que sustenta a consciência e nos faz sobreviver.

Se estragar essa máquina, você morre. Se negligenciar essa máquina, você morre. Se achar que sua consciência pode sobreviver sem a máquina, você morre logo depois de descobrir que estava errado.

É até bem simples. Cuide de seu ser físico. Alimente-se com o que seu corpo *precisa,* não com o que sua consciência quer. Sucumbir aos desejos da mente que danificam o corpo é como ser um pai fraco que cede aos desejos do filho. "Ah, você teve um dia ruim? Quer uma caixa inteira de biscoitos? Tudo bem, querido. Pode comer. E pode beber esse refrigerante também."

Cuidar do corpo não é tão diferente de cuidar de uma criança. Às vezes é difícil, às vezes é um saco, às vezes você quer desistir. Mas, se o fizer, vai usufruir das consequências uns dezoito anos depois.

Foi exatamente assim com a minha mãe. Ela cuidou de mim do mesmo jeito que cuidava do corpo. *Muito pouco.* Às vezes fico pensando se continua gorda, se persiste negligenciando aquela máquina. Não sei. Não falo com ela há anos.

Mas não quero falar sobre uma mulher que tomou a decisão de nunca mais falar comigo. Quero falar sobre a primeira coisa que aquele bebê roubou de mim.

Jeremy.

Não percebi isso no começo.

A princípio, quando descobrimos que *a noite do noivado* se tornou *a noite em que engravidamos,* fiquei feliz. Estava feliz porque Jeremy estava feliz. Naquela altura, além de meus peitos estarem mais bonitos do que nunca, eu não tinha muita noção de quanto a gravidez seria nociva para aquela máquina que eu mantinha com tanto esforço.

Foi por volta do terceiro mês, algumas semanas após descobrir a gravidez, que comecei a perceber a diferença. Ainda era uma pancinha pequena, mas estava ali. Tinha acabado de sair do banho e estava em frente ao espelho, de perfil. Com a mão no estômago levemente protuberante, eu sentia algo estranho, um intruso.

Tive nojo. Prometi a mim mesma começar a malhar três vezes por dia. Já tinha visto o que a gravidez podia fazer com uma mulher, mas também sabia que o pior estrago vinha no último trimestre. Se eu conseguisse encontrar um jeito de dar à luz antes, por volta da 33ª ou 34ª semana, talvez pudesse evitar a parte mais nociva da gravidez.

— Uau.

Tirei a mão da barriga e olhei para a porta. Jeremy estava encostado no batente, os braços cruzados no peito, e sorria para mim.

— Já está começando a aparecer.

— Não está, não — respondi, encolhendo a barriga.

Ele sorriu e chegou mais perto, me abraçando por trás. Colocou as duas mãos em minha barriga e olhou para mim pelo espelho.

— Você nunca esteve tão linda — disse ele, beijando meu ombro.

Era uma mentira para eu me sentir melhor, mas fiquei agradecida. Até as mentiras dele me agradavam. Apertei suas mãos, ele me virou de frente e me beijou, me empurrando até a bancada do banheiro. Depois de me colocar sentada ali, se encaixou entre minhas pernas.

Ele estava completamente vestido, tinha acabado de chegar do trabalho. Eu estava completamente nua, tinha acabado de sair do banho. As únicas barreiras entre nós eram a calça dele e a pança que eu ainda tentava encolher.

Começamos a transar na bancada, mas terminamos na cama.

Ele estava com a cabeça em meu peito desenhando círculos na minha barriga quando o estômago deu um ronco altíssimo. Tentei pigarrear para disfarçar o barulho, mas ele riu.

— *Alguém* está com fome.

Comecei a negar com a cabeça, mas ele se levantou e olhou para mim.

— O que ela quer?

— Nada. Não estou com fome.

Ele riu de novo.

— Não é você. *É ela* — disse, com a mão em meu estômago. — Mulheres grávidas não ficam com uns desejos esquisitos e querem comer o tempo todo? Você praticamente não come. E sua barriga está crescendo.

Ele sentou na cama.

— Preciso alimentar minhas meninas.

Suas *meninas*.

— Você ainda nem sabe se é uma menina.

Ele sorriu para mim.

— É uma menina. Posso sentir.

Eu queria revirar os olhos. Tecnicamente, não era nada. Nem menino, nem menina. No máximo era uma bolha. Estava muito no início, então acreditar que aquela coisa crescendo em mim já estava com fome ou desejo de alguma comida específica era um absurdo. Mas não dava para dizer isso a ele. Jeremy estava tão empolgado com o bebê que eu nem ligava que estivesse exagerando na dose.

Às vezes, a empolgação dele *me* empolgava.

Nas semanas seguintes foi sua animação que me ajudou a lidar com tudo. Quanto mais minha barriga crescia, mais atencioso ele ficava, e a beijava todas as noites na cama.

Pela manhã, segurava meu cabelo enquanto eu vomitava. Do trabalho, me mandava sugestões de nomes de bebês. Ele estava tão obcecado pela minha gravidez quanto eu era obcecada por ele. Fomos juntos à primeira consulta com o médico.

Fomos juntos também à segunda consulta. Ainda bem, porque foi ali que meu mundo caiu.

Gêmeas.

Duas delas.

Estava calada quando saímos do consultório naquele dia. Já estava com medo de virar a mãe de um bebê. De ser obrigada a amar a única coisa que Jeremy amava mais do que a mim. Mas quando descobri que eram duas, e ainda por cima *eram* meninas, de repente não me conformava mais em ser a terceira coisa mais importante da vida de Jeremy.

Eu forçava o sorriso quando ele falava sobre elas. Fingia alegria quando ele passava a mão em minha barriga, mas sentia repulsa ao me lembrar de que só fazia isso por causa delas. Mesmo se conseguisse dar à luz antes do tempo, não faria diferença. Agora que eram duas, o estrago em meu corpo seria ainda mais intenso. Tinha calafrios todos os dias só de pensar nelas crescendo dentro de mim, esticando minha pele, arruinando meus seios, minha barriga e, Deus me livre, o templo no meio das minhas pernas ao qual Jeremy prestava devoção todas as noites.

Como ele ainda vai me querer depois disso?

No quarto mês de gravidez comecei a torcer para abortar. Rezava para ver sangue quando ia ao banheiro. Ficava imaginando que, se perdesse as gêmeas, voltaria a ser prioridade na vida de Jeremy. Ele iria me amar, idolatrar, cuidar e se preocupar comigo, e não por causa daquilo que crescia dentro de mim.

Tomava remédios para dormir quando ele não estava olhando. Bebia vinho se ele não estava em casa. Fiz tudo o que podia para destruir aquelas coisas que estavam afastando ele de mim, mas nada deu certo. Elas continuaram crescendo. Minha barriga seguia aumentando.

No quinto mês, estávamos deitados na cama de lado. Jeremy estava me penetrando por trás. Sua mão esquerda agarrou meu peito e a direita estava na minha barriga. Não gostei de ter tocado minha barriga durante o sexo, porque me fez lembrar dos bebês e estragou o clima para mim.

Achei que ele tinha atingido o orgasmo quando parou de se mover, mas então notei que ele parou porque sentiu que *elas* se moveram. Saiu de dentro de mim, me colocou deitada de costas e pousou a mão na barriga.

— Sentiu isso?

Seus olhos brilhavam de excitação. Ele já não estava duro. A excitação não tinha nada a ver comigo. Colocou o ouvido na barriga e esperou que se movessem novamente.

— Jeremy? — sussurrei.

Ele beijou a barriga e me olhou.

Passei a mão em seus cabelos.

— Você as ama?

Ele sorriu achando que eu queria um sim.

— Amo mais do que tudo.

— Mais que a mim?

Ele parou de sorrir. Deixou a mão na barriga, mas se aninhou e colocou o braço sob meu pescoço.

— De maneira diferente — respondeu, beijando minha bochecha.

— Está bem, de maneira diferente. Mas é mais? Seu amor por elas é mais intenso do que por mim?

Jeremy olhou bem em meus olhos, e eu esperava que desse uma risada e dissesse "de jeito nenhum". Mas ele não fez isso. Olhou para mim com a maior honestidade do mundo.

— Sim.

Sério? Essa resposta me destroçou. Fiquei sufocada. Morta.

— Mas é assim que deve ser — completou. — Por quê? Você se sente culpada por amá-las mais do que a mim?

Não respondi. Ele acha mesmo que as amo mais do que a *ele*? Eu nem *conheço* elas.

— Não se sinta culpada. *Quero* que você as ame mais do que a mim. Nosso amor um pelo outro é condicional; o amor por elas, não.

— Meu amor por você é incondicional.

— Não é, não. Posso fazer coisas pelas quais você nunca irá me perdoar. Mas sempre vai perdoar suas filhas.

Ele estava errado. Eu já não as perdoava por existirem. Já não as perdoava por me jogarem para o terceiro lugar. Não as perdoava por terem arruinado *a minha noite de noivado.*

Elas não tinham nem nascido e já estavam roubando algo que era meu.

— Verity — sussurrou, limpando uma lágrima que caíra em meu rosto. — Você está bem?

Fiz que não com a cabeça.

— Não consigo acreditar no quanto você as ama antes mesmo de terem nascido.

— Eu sei — respondeu, sorrindo.

Não falei de um jeito positivo, mas foi como ele interpretou. Voltou a deitar sobre meu peito com a mão na barriga.

— Estou ferrado quando elas nascerem.

Ele vai chorar?

Ele *nunca* chorou por mim. Por minha causa.

Talvez não tenhamos brigado o suficiente.

— Tenho que ir ao banheiro.

Não tinha, mas precisava sair de perto dele e de todo aquele amor que não era para mim.

Ele me beijou e, quando saí da cama, virou-se de lado, de costas para mim. Nem lembrou que não tínhamos terminado de transar.

Caiu no sono enquanto eu estava no banheiro, tentando abortar suas filhas com um cabide de arame. Tentei por meia hora até começar a sentir cólicas e o sangue escorrer pelas pernas. Tinha certeza de que estava feito.

Voltei para a cama, esperando pelo aborto. Meus braços tremiam. Minhas pernas estavam dormentes pelo esforço do agachamento. Minha barriga doía e eu sentia vontade de vomitar, mas não me mexi. Queria estar na cama com ele quando acontecesse. Queria acordá-lo desesperada e mostrar o sangue. Queria que ele entrasse em pânico e se preocupasse, chorasse por mim.

Queria que chorasse *por minha causa.*

7

Deixo cair a última página do capítulo.

Ela desliza pelo chão de madeira polida e desaparece sob a escrivaninha, como se estivesse fugindo de mim. Agacho para procurá-la e a arrumo junto com a pilha de páginas que preciso esconder. Nem sei o que...

Ainda estou de joelhos no meio do escritório de Verity quando as lágrimas brotam. Mas não as deixo cair. Respiro fundo e foco nos joelhos doloridos para me distrair. Não sei se as lágrimas são de tristeza ou de raiva. Só sei que esse texto é de uma mulher muito perturbada — e é a dona da casa onde estou hospedada. Levanto a cabeça devagar e fixo os olhos no teto. Ela está bem ali em cima, agora mesmo. Dormindo, comendo ou olhando para o nada. Posso senti-la na espreita, condenando minha presença ali.

De repente, não tenho mais dúvidas. Sei que é verdade.

Uma mãe não escreveria aquilo sobre si mesma — e sobre suas filhas — se não fosse verdade. Uma mãe que nunca teve aquele tipo de sentimento ou pensamento jamais os imaginaria. Não importa quão boa escritora seja. Verity não arriscaria sua boa imagem de mãe escrevendo algo tão horrível se não tivesse realmente experimentado aquilo.

Minha mente começa a girar de preocupação, tristeza, medo. Se ela teve coragem de tentar matar as filhas no meio de uma crise de ciúmes, o que mais seria capaz de fazer?

O que realmente aconteceu àquelas meninas?

Depois de um tempo digerindo aquilo tudo, coloco o manuscrito numa gaveta, embaixo de outras coisas. Não quero que Jeremy o encontre. Antes de ir embora desta casa, vou destruí-lo. Não consigo imaginar como ele se sentiria lendo tudo aquilo. Ele já está de luto pela morte das filhas. Imagine se souber o que elas sofreram nas mãos da própria mãe.

Rezo para que ela tenha sido uma mãe melhor depois que as meninas nasceram, mas sinceramente estou muito abalada para continuar a leitura. Não sei se quero ler mais *uma linha* daquilo.

Preciso de uma bebida. Que não seja água, refrigerante ou suco. Vou até a cozinha e abro a geladeira, mas não há nenhum vinho. Abro os armários acima da geladeira e nada de álcool. Os armários de baixo também não têm nada. Vou à geladeira de novo, mas só vejo as caixinhas de suco de Crew e garrafas d'água que não vão me ajudar nesse momento.

— Você está bem?

Viro para olhar e Jeremy está na mesa de jantar, olhando uns papéis. Parece preocupado comigo.

— Tem alguma coisa com álcool por aqui?

Coloco as mãos no quadril para esconder a tremedeira. *Ele não tem a menor ideia de como ela é de verdade.*

Jeremy me encara por um momento e vai até a despensa. Na última prateleira há uma garrafa de uísque Crown Royal.

— Senta aí — pede ele, ainda parecendo preocupado.

Ele acompanha cada movimento meu enquanto eu me sento e desabo com a cabeça nas mãos.

Ouço-o abrir uma lata de refrigerante e misturar com o uísque. Quando coloca o copo na minha frente, levo à boca tão rápido que algumas gotas caem na mesa. Ele voltou a sentar, e está me encarando.

Jeremy me olha enquanto tento engolir o uísque com Coca-Cola de maneira normal. A bebida desce queimando e desvio o olhar.

— Lowen, o que aconteceu?

Hum, Jeremy, vejamos. Apesar do dano cerebral, sua mulher fez contato visual comigo. Andou até a janela do quarto e acenou para o filho. Tentou abortar suas filhas enquanto você dormia.

— Sua mulher. Os livros dela são... Bem, eu estava numa parte muito assustadora e fiquei com medo.

Ele me olha sem expressão por um momento e depois ri.

— Sério? Ficou assim por causa de um livro?

Dou de ombros e bebo mais um gole.

— Ela é uma excelente escritora — digo, deixando o copo na mesa. — E eu me assusto com facilidade.

— Mas você escreve o mesmo gênero de livro.

— Fico assim até com meus próprios livros às vezes — minto.

— Talvez devesse escrever histórias românticas.

— Certamente vou tentar assim que terminar esse contrato.

Ele ri mais uma vez, balançando a cabeça enquanto arruma os papéis.

— Você perdeu o jantar. Ainda está quente, se quiser.

— Quero. Preciso comer.

Talvez isso ajude a me acalmar. Vou até o forno, onde há um frango ensopado coberto com papel laminado. Preparo um prato, busco uma água na geladeira e volto para a mesa.

— Foi você que fez?

— Sim.

Provo um pedaço.

— Está muito bom — digo, ainda com a boca cheia.

— Obrigado — responde ele ainda me olhando, mas agora parece mais relaxado do que preocupado.

Estou feliz em vê-lo relaxado. Gostaria de estar também, mas tudo que leio me faz questionar Verity. Sua condição. Sua honestidade.

— Posso fazer uma pergunta?

Ele faz que sim com a cabeça.

— Pode dizer se eu estiver sendo muito intrometida. Mas existe alguma chance de Verity se recuperar totalmente?

Ele balança a cabeça.

— O médico não acredita que ela volte a andar ou falar, já que ainda não houve nenhum progresso nesse sentido.

— Ela está paraplégica?

— Não, a coluna não tem qualquer dano. O problema é a mente. É como se fosse o cérebro de um bebê. Ela tem reflexos básicos. Consegue comer, beber, piscar, mover-se um pouco. Mas nada é intencional. Eu esperava que ela fosse melhorar um pouco com uma terapia continuada, mas...

Jeremy olha para a entrada da cozinha ao ouvir Crew descendo as escadas. Ele dá a volta na bancada com seu pijama do Homem-Aranha e se senta no colo de Jeremy.

Crew. Tinha me esquecido totalmente dele enquanto lia. Se Verity desprezava tanto aquelas meninas antes mesmo de nascerem, jamais teria concordado em ter outro filho.

A única explicação é que, em algum momento, ela se afeiçoou às meninas. Deve ser por isso que escreveu aquilo. Porque no fim ela se apaixonou pelas filhas tanto quanto Jeremy. Talvez colocar aqueles pensamentos da gravidez para fora tenha sido uma maneira de se perdoar por eles. Como um católico se confessando para o padre.

Essa conclusão, junto com as explicações de Jeremy sobre os ferimentos, me deixa mais calma. Verity tem as capacidades físicas e mentais de um recém-nascido. Isso tudo é coisa da minha cabeça.

Crew encosta a cabeça no ombro de Jeremy. Ele está segurando um iPad enquanto o pai olha o celular. Eles são fofos juntos.

Fiquei muito concentrada nas coisas negativas que aconteceram a esta família. Preciso focar mais no que restou de positivo. E certamente a ligação de Jeremy com o filho é uma dessas coisas. Crew o ama. Está sempre sorrindo na presença do pai, sente-se confortável com ele. E Jeremy não tem problemas em demonstrar afeto, inclusive acaba de dar um beijo na cabeça do filho.

— Escovou os dentes?

— Escovei.

Jeremy levanta o menino sem muito esforço.

— Então é hora de dormir.

Ele coloca Crew por cima do ombro.

— Diga boa noite para Laura.

Crew me dá um tchauzinho e os dois desaparecem pela escada.

Percebo que ele me chama pelo pseudônimo na frente de todas as outras pessoas, mas me chama de Lowen quando estamos só nós dois. Também percebo que gosto muito disso. Não *quero* gostar tanto.

Termino meu jantar e lavo a louça enquanto os dois ainda estão lá em cima. Quando termino, estou me sentindo bem melhor. Não sei se foi o álcool, a comida ou a conclusão de que Verity escreveu aquele capítulo horrível porque outro bem melhor virá a seguir. Um capítulo em que ela se dará conta de como suas filhas são uma benção.

Saio da cozinha, mas as fotos de família penduradas no corredor chamam minha atenção. Paro para olhá-las. A maioria das fotos é das crianças, mas em algumas estão Verity e Jeremy também. As meninas parecem muito com a mãe, enquanto Crew saiu a cara do pai.

Eram uma linda família. É até deprimente olhar para essas fotos. Dou uma boa olhada e percebo como é fácil diferenciar as gêmeas. Uma delas está sempre sorrindo e tem uma pequena cicatriz na bochecha. A outra raramente sorri.

Levo a mão à foto da menina com a cicatriz na bochecha. Imagino desde quando aquela cicatriz está ali. E o que a provocou. Chego até uma foto bem antiga, quando ainda eram bebês de colo. A menina sorridente já tinha a cicatriz naquela época.

Jeremy desce as escadas enquanto ainda estou ali olhando. Ele para ao meu lado. Aponto para a gêmea com a cicatriz.

— Esta é qual delas?

— Chastin — responde, apontando depois para a outra. — E esta é Harper.

— Elas se parecem muito com Verity.

Não estou olhando para ele, mas vejo de relance que Jeremy concorda com a cabeça.

— Como Chastin ganhou essa cicatriz?

— É de nascença. Segundo o médico, uma cicatriz de tecido fibroso. É relativamente normal, especialmente em gêmeos, porque brigam por um espaço pequeno.

Olho para ele pensando se a explicação para a cicatriz de Chastin é mesmo essa. Talvez seja, de alguma forma, resultado da tentativa de aborto fracassada.

— As duas tinham a mesma alergia?

Assim que a pergunta sai, trago a mão à boca, arrependida. Só sei que uma delas tinha alergia porque pesquisei sobre sua morte. Agora ele sabe que andei lendo sobre a morte da filha.

— Desculpa, Jeremy.

— Tudo bem. E não. Só Chastin tinha alergia a amendoim.

Ele não fala mais nada, mas sinto que fica me encarando. Viro para ele e nossos olhos se encontram. Jeremy sustenta o contato visual por um momento e então olha para minha mão. Com seus dedos delicados, ele a vira ao contrário.

— E você, como conseguiu essa? — pergunta, passando o dedo pela cicatriz na palma da minha mão.

Fecho a mão, mas não porque quero escondê-la. Já está meio apagada e quase não penso mais nela. Eu me treinei para não pensar nela. Mas escondo porque, quando ele a toca, parece que seus dedos me queimam.

— Não me lembro. Obrigada pelo jantar. Vou tomar um banho.

Passo por ele e vou em direção ao quarto. Abro e fecho a porta rapidamente, e só quando encosto do lado de dentro me permito relaxar.

Não é que ele me deixe desconfortável. Jeremy é um bom homem. Talvez seja o manuscrito que esteja me deixando desconfortável, porque tenho certeza de que ele teria compartilhado igualmente seu amor entre a mulher e os três filhos. Ele parece fazer isso até hoje. Sua mulher está basicamente catatônica e ele ainda a ama.

É o tipo de homem por quem uma mulher como Verity poderia ficar obcecada, claro. Mas acho que nunca vou entender essa obsessão tão intensa a ponto de desencadear o ciúme descontrolado de um filho.

Mas entendo a atração que ele exerce. Entendo mais do que gostaria.

Quando fecho a porta, algo fica preso em meu cabelo. O que é isso? Puxo até soltar e me viro para olhar o que é.

É uma fechadura.

Ele deve ter instalado hoje. É mesmo um cara atencioso. Tranco a porta.

Será que Jeremy acha que eu queria uma fechadura na porta porque não me sinto segura nesta casa? Espero que não, porque realmente não é o caso. Queria uma fechadura para deixar todos os outros seguros em relação a *mim*.

Vou até o banheiro e acendo a luz. Olho para minha mão, passando os dedos pela cicatriz.

Depois dos meus primeiros episódios de sonambulismo, minha mãe ficou preocupada. Ela me levou para fazer terapia, esperando que tivesse mais efeito do que os remédios para dormir. Meu terapeuta disse que era importante criar estranheza no ambiente ao meu redor. Dizia que era preciso criar obstáculos que dificultassem minha mobilidade enquanto estivesse sonâmbula. Uma fechadura do lado de dentro da porta era um desses obstáculos.

Tenho quase certeza de que tranquei a porta antes de dormir naquele dia, anos atrás. Então ainda não sei por que acordei na manhã seguinte com o pulso fraturado e coberta de sangue.

8

Decidi não ler mais o manuscrito de Verity. Já se passaram dois dias desde que li sobre a tentativa de aborto, e o texto segue no fundo da gaveta da escrivaninha, intocado. Mas posso senti-lo. Ele está lá comigo no escritório de Verity, respirando ofegante embaixo de toda a tralha sob a qual o escondi. Quanto mais leio, mais fico insegura. Fico mais desconcentrada. Não estou dizendo que nunca vou terminar o trabalho. Mas até avançar de fato no que vim fazer aqui, não posso ficar me distraindo com isso.

Agora que parei de ler o manuscrito, percebi que não fico tão assustada na presença de Verity como estava há alguns dias. Ontem, depois de trabalhar o dia inteiro trancada no escritório, saí para tomar um ar e encontrei Verity e a enfermeira sentadas à mesa de jantar com Crew e Jeremy. Em meus primeiros dias aqui, eu sempre estava no escritório enquanto jantavam, por isso não sabia que ela se juntava a eles enquanto comiam. Não quis me intrometer, então voltei ao escritório.

A enfermeira de hoje é outra. Chama-se Myrna. É um pouco mais velha que April, gordinha e bem-humorada, com bochechas tão rosadas que parece uma boneca antiga. De cara já a acho mais simpática do que April. Na verdade, não é que April seja *antipática*. Mas tenho a impressão de que não confia em mim quando estou perto de Jeremy. Ou em Jeremy quando está perto de mim. Não sei por que minha presença a desagrada, mas posso imaginar que está apenas sendo protetora com sua paciente. E isso significa reprovar a hospedagem de outra mulher na casa de uma inválida. Certamente pensa que Jeremy e eu nos trancamos no quarto assim que ela vai embora toda noite. *Quem dera ela estivesse certa.*

Myrna trabalha às sextas e aos sábados, enquanto April vem no restante da semana. Hoje é sexta-feira e, ainda que o plano fosse mudar para meu apartamento hoje, estou aliviada que as coisas tenham se ajeitado assim. Teria saído daqui despreparada. Esse tempo extra veio a calhar. Nos últimos dois dias consegui ler mais dois livros da série, e gostei bastante deles. É fascinante ver como Verity sempre escreve do ponto de vista do antagonista. E já tenho uma ideia de como devo continuar a série. Mas, por desencargo de consciência, continuo procurando anotações agora que realmente sei o que buscar.

Estou sentada no chão remexendo uma caixa quando recebo uma mensagem de Corey:

A Pantem fez um texto de divulgação para a imprensa hoje de manhã anunciando você como a nova coautora da série de Verity. Se quiser dar uma olhada, mandei um link pro seu e-mail.

Assim que abro o e-mail ouço uma batida à porta do escritório.

— Pode entrar.

Jeremy abre a porta e coloca o pescoço para dentro.

— Oi! Vou ao mercado fazer umas compras. Se quiser fazer uma lista, posso comprar algo para você.

Realmente preciso de algumas coisas. Uma delas é absorvente, embora só tenha mais um ou dois dias de menstruação. Não esperava ficar aqui tanto tempo, então não trouxe o suficiente. Mas não sei se quero falar sobre isso com Jeremy. Levanto, tirando a poeira da calça.

— Na verdade, você se importa se eu for junto? Acho que é mais fácil.

— De jeito nenhum. Saio em dez minutos — diz, abrindo mais a porta.

***

O carro de Jeremy é um jipe Wrangler, com pneus cobertos de lama. Nunca o tinha visto, porque fica na garagem, mas não é bem o que eu esperava. Achei que ele dirigiria um Cadillac ou um Audi A8, algo mais apropriado a um homem de terno. Não sei por que continuo com essa referência do empresário arrumadinho que conheci no primeiro dia. Esse cara só anda de jeans e moletom o dia inteiro, está sempre trabalhando ao ar livre e tem uma coleção de botas enlameadas que ficam perto da porta dos fundos. Um jipe Wrangler tem muito mais a ver com ele do que qualquer outro carro que eu pudesse ter imaginado.

Já estamos na estrada, a uns 800 metros de distância, quando ele liga o rádio.

— Viu o texto de divulgação da Pantem hoje?

Pego meu celular na bolsa.

— Corey me mandou o link, mas esqueci de ler.

— São apenas algumas linhas no site da Publishers Weekly. Bem discreto, como você queria.

Abro o e-mail para ler o link. Mas não é a nota da Publishers Weekly. O que Corey me mandou é o anúncio que foi publicado nas redes sociais de Verity Crawford por sua equipe de assessoria de imprensa:

A Pantem Press tem a satisfação de anunciar que os próximos romances da série "As virtudes nobres", de Verity Crawford, serão coescritos pela autora Laura Chase. Verity está muito entusiasmada com a parceria e as duas prometem criar juntas uma conclusão inesquecível para a série.

Verity está muito entusiasmada? Que piada! Pelo menos já sei que não devo confiar em anúncios de assessoria de imprensa. Começo a ler os comentários abaixo do anúncio.

"Quem é essa tal de Laura Chase?"

"POR QUE VERITY ESTÁ ENTREGANDO SEU BEBÊ A OUTRA PESSOA?"

"Não. Não, não, não."

"É assim que funciona? Depois que um autor medíocre faz sucesso contrata outro ainda pior para fazer seu trabalho?"

Coloco o telefone no colo, mas não é o suficiente. Desligo o som, coloco dentro da bolsa e fecho o zíper.

— As pessoas são horríveis — resmungo.

Jeremy ri.

— Nunca leia os comentários. Verity me ensinou isso há anos.

Nunca tive que lidar com comentários porque nunca me expus antes.

— Bom saber.

Quando chegamos ao mercado, Jeremy sai do jipe e dá a volta para abrir a minha porta. Fico meio sem graça porque não estou acostumada a esse tipo de tratamento. Mas provavelmente se eu mesma abrisse a porta, deixaria Jeremy sem graça. Ele é exatamente o tipo de cara que Verity descreve em sua autobiografia.

Essa é a primeira vez que um homem abre a porta do carro para mim. *Caramba*. Que merda, né? Quando ele pega minha mão para me ajudar a sair do carro, meu corpo fica tenso, não consigo esconder a reação a seu toque. Quero mais. Mas não devia querer.

Será que ele sente o mesmo?

Sexo está fora de cogitação para ele já há algum tempo, e me pergunto se ele sente falta.

Deve ter sido uma adaptação difícil. Estava num casamento que, no começo, aparentemente girava em torno do sexo. E teve isso arrancado de sua vida do dia para a noite.

Por que estou pensando sobre a vida sexual de Jeremy enquanto caminhamos até o mercado?

— Gosta de cozinhar? — pergunta ele.

— Não é que não goste. Mas sempre morei sozinha, então não tenho o costume de cozinhar grandes refeições.

Ele pega um carrinho e vamos juntos ao corredor dos alimentos.

— Qual é sua comida preferida?

— Tacos.

Ele ri.

— Boa. Fácil de fazer.

Jeremy pega todos os legumes necessários para preparar os tacos. Em retribuição, eu me ofereço para cozinhar espaguete para ele. É o único prato que realmente posso dizer que faço bem.

Deixo Jeremy no corredor de sucos e digo que vou buscar outras coisas. Pego os absorventes e mais outros itens para colocar junto no carrinho, como xampu, meias e algumas camisetas, já que não trouxe quase nenhuma.

Não sei por que estou tão envergonhada por comprar absorventes. Não é como se ele nunca os tivesse visto. E, conhecendo Jeremy, é bem provável que já tenha comprado para Verity algumas vezes. Ele parece o tipo de marido que o faria sem problemas.

Volto para a seção de alimentos e, à medida que ando em direção a Jeremy, percebo que há duas mulheres conversando com ele. Encostado na geladeira de sorvetes, ele está com uma cara de quem gostaria de derreter e desaparecer dali. As mulheres estão de costas para mim, mas, assim que Jeremy me olha, a loira atraente se vira para checar. A morena parece ser mais normal, como eu, mas só até o momento em que se vira também. Seu olhar me faz mudar de ideia na hora.

Chego perto do carrinho como se ele fosse um animal selvagem. Com cuidado, tímida. Devo colocar minhas compras no carrinho ou vai ser constrangedor? Decido colocar na cestinha separada, claramente uma divisão que diz "estamos juntos, mas não juntos". As mulheres me olham ao mesmo tempo, as sobrancelhas sobem cada vez mais alto a cada produto que coloco na cestinha. A loira, mais perto de Jeremy, encara meus absorventes. Olha de volta para mim e inclina a cabeça.

— E você é...?

— Esta é Laura Chase — responde Jeremy. — Laura, essas são Patricia e Caroline.

A loira parece animada para fazer fofoca.

— Somos amigas de Verity — diz Patricia, olhando pra mim de um jeito bem condescendente. — Por falar nisso, Verity deve estar melhor se já está recebendo amigas em casa.

Ela olha para Jeremy, buscando explicações.

— Ou a Laura é *sua* amiga?

— Laura veio de Nova York. Está trabalhando com Verity.

Patricia sorri, faz um som de *a-ham*, e olha de volta para mim.

— E como exatamente se trabalha com uma escritora? Sempre achei que fosse uma atividade meio solitária.

— Isso é o que os não literatos normalmente pensam — responde Jeremy.

Ele acena com a cabeça para elas, terminando a conversa.

— Tenham uma boa tarde, senhoras.

Jeremy começa a mover o carrinho, mas Patricia o impede com a mão.

— Mande um oi para Verity e diga que estou torcendo por sua recuperação.

— Vou mandar o recado — diz Jeremy, passando por ela. — Mande lembranças ao Sherman.

Patricia faz uma cara irritada.

— O nome do meu marido é William.

Jeremy balança a cabeça.

— Ah, é verdade. Sempre confundo os dois.

Ouço a risada de escárnio de Patricia enquanto vamos andando. Quando passamos para outro corredor, pergunto:

— Quem é Sherman?

— É o cara com quem ela trepa escondido do marido.

Olho para ele, chocada. Ele está sorrindo.

— Eita! — exclamo, rindo.

Chegamos ao caixa e não consigo parar de sorrir. Acho que nunca tinha visto uma alfinetada tão boa assim pessoalmente.

Ele começa a colocar os produtos na esteira.

— Eu não devia ter descido ao nível dela. Mas não suporto gente hipócrita.

— É verdade, mas se não fossem os hipócritas seríamos privados de momentos épicos e cármicos como este que acabei de ver.

Jeremy pega o restante dos produtos no carrinho. Tento manter os meus separados, mas ele se recusa a me deixar pagar.

Não consigo parar de olhar para ele enquanto passa o cartão de crédito. Sinto algo. Não sei bem o que é. Uma quedinha? Faria todo sentido. Óbvio que eu teria uma queda por um cara tão dedicado à esposa inválida que é incapaz de enxergar qualquer outra coisa. É incapaz, inclusive, de enxergar a personalidade real da própria mulher.

Lowen Ashleigh, prestes a se apaixonar por um cara indisponível e com mais bagagem emocional até do que ela mesma.

Isso que é carma.

9

Cheguei há apenas cinco dias, mas parece bem mais. Os dias aqui se arrastam, ao contrário de Nova York, em que eles voam.

Hoje de manhã ouvi Myrna dizer a Jeremy que Verity teve febre. Foi por isso que ela não veio aqui fora o dia inteiro. Não fico nem um pouco triste em ouvir isso. Significa que não preciso estar em sua presença ou vê-la da janela do meu escritório durante suas saídas para o quintal.

Mas agora estou prestando atenção em Jeremy. Sozinho, na varanda dos fundos, mirando o lago e sentado numa cadeira de balanço que não se move há mais de dez minutos. Está completamente imóvel. De vez em quando ele pisca. Já está lá fora há um tempinho.

Queria saber o que passa em sua cabeça agora. Será que está pensando nas meninas? Ou em Verity? Ou em como sua vida mudou no último ano? Está com a barba por fazer há alguns dias, o que fica ótimo nele. Acho que, na verdade, nada ficaria ruim nele. Coloco a mão no queixo e me inclino por cima da escrivaninha. Mas logo me arrependo, porque Jeremy percebe. Ele vira a cabeça e me olha pela janela. Quero disfarçar e fingir que estou ocupada, mas é muito óbvio que o estava observando, ainda mais inclinada com a cabeça apoiada nas mãos desse jeito. Seria pior tentar esconder, então apenas dou um sorriso.

Ele não sorri de volta, mas também não desvia o olhar. Ficamos em contato visual por muitos segundos, e aquele olhar começa a agitar coisas dentro de mim. Imagino se ele também sente algo com *meu* olhar.

Jeremy respira fundo, levanta da cadeira e vai em direção ao deque. Pega algumas ferramentas e começa a cortar os pedaços de madeira que ainda ficaram por lá.

Provavelmente estava querendo um momento de paz. Sem Crew, Verity, eu ou uma enfermeira para invadir sua privacidade.

Preciso de um Xanax. Não tomo há mais de uma semana. O remédio me deixa meio grogue, o que dificulta a concentração para escrever ou pesquisar. Mas estou cansada de estar sempre tensa e com o pulso acelerado, como agora. Quando a adrenalina bate, parece que não consigo mais me controlar. Seja Jeremy, Verity ou seus livros, algo aqui está sempre jogando meus níveis de ansiedade lá em cima. Ficar um pouquinho grogue não é nada comparado às reações que tenho a essa casa e às pessoas que vivem nela.

Vou até o quarto e procuro o Xanax na bolsa. Assim que abro o frasco, ouço um grito vindo do segundo andar.

Crew.

Derrubo o frasco com as pílulas na cama e corro lá para cima. Posso ouvi-lo chorando, e o som parece estar vindo do quarto de Verity.

Minha vontade é sair correndo na direção oposta, mas ele é um garotinho precisando de ajuda, então sigo em frente.

Abro a porta sem bater. Crew está sentado no chão, com a mão no queixo. Há sangue em suas mãos e dedos. E uma faca a seu lado.

— Crew?

Pego o menino no colo e vamos até o banheiro do primeiro andar. Coloco-o sentado na bancada.

— Deixe-me ver.

Tiro seus dedos trêmulos do queixo para avaliar o ferimento. Está pingando sangue, mas não parece nada muito profundo. É um corte logo abaixo do queixo. Devia estar segurando a faca e caiu.

— Você se cortou com a faca?

Seus olhos estão arregalados. Ele faz que não com a cabeça, provavelmente tentando esconder que tinha uma faca. Certamente Jeremy não aprovaria isso.

— Mamãe disse para não mexer na faca dela.

Fico petrificada.

— Sua mãe disse isso?

Crew não responde.

— Crew — digo a ele, pegando um lenço. Parece que meu coração vai sair pela boca, mas tento disfarçar o medo enquanto molho o lenço. — Sua mãe fala com você?

Crew também está petrificado, e a única coisa que se mexe é sua cabeça, fazendo que não. Pressiono o lenço contra seu queixo e logo ouço Jeremy prestes a subir as escadas. Deve ter ouvido o grito do filho.

— Crew! — grita.

— Estamos aqui.

Os olhos de Jeremy estão cheios de preocupação quando ele chega à porta. Saio do caminho ainda segurando o lenço no queixo do menino.

— Está bem, amigão?

Crew concorda com a cabeça e Jeremy pega o lenço da minha mão. Ajoelha-se, examina o ferimento de Crew e depois olha para mim.

— O que aconteceu?

— Acho que ele se cortou. Estava no quarto de Verity. Tinha uma faca no chão.

Jeremy se vira para o menino e agora seus olhos estão mais decepcionados do que preocupados.

— O que estava fazendo com uma faca?

Crew balança a cabeça, fungando, tentando parar de chorar.

— Eu não tinha uma faca. Só caí da cama.

Sinto que dedurei o pobre garoto. Tento consertar.

— Ele não a estava segurando. Vi a faca no chão e imaginei que isso tinha acontecido.

Ainda estou meio abalada com o que o garoto disse a respeito de Verity e da faca. Mas todo mundo fala dela no presente: a enfermeira, Jeremy, Crew. Certamente a mãe deve ter dito a ele que não brincasse com facas no passado, e agora minha imaginação está aumentando bastante a importância dessa frase.

Jeremy abre o armário de remédios para pegar o kit de primeiros socorros. Quando fecha o armário, está olhando para mim pelo espelho.

— Pode ir lá dar uma olhada? — murmura, indicando a porta com a cabeça.

Saio do banheiro, mas paro no corredor. Não gosto de entrar naquele quarto, não importa o quão indefesa Verity esteja. Mas também não podemos deixar uma faca ao alcance de Crew, então sigo em frente.

A porta ainda está escancarada, então entro com a ponta dos pés para não acordá-la. *Não que isso seja possível.* Dou a volta na cama até o local onde encontrei Crew.

Não tem faca nenhuma.

Viro para o outro lado, pensando que talvez tenha chutado a faca sem querer ao pegá-lo. Agacho até o chão a fim de checar debaixo da cama. Nada além de uma fina camada de poeira. Deslizo a mão por baixo do criado-mudo, mas também não há nada.

Sei que vi uma faca. Não estou ficando louca.

Ou estou?

Eu me apoio no colchão para me levantar, mas imediatamente caio de volta: Verity está olhando diretamente para mim. A cabeça está virada para a direita, seus olhos nos meus olhos.

Puta merda! Morrendo de medo, eu me arrasto para bem longe da cama. Estou a uma boa distância dela e, embora apenas a cabeça tenha se mexido, algo me diz que estou correndo perigo. Levanto, me apoiando na cômoda, e vou andando para a porta de costas, com os olhos fixos nela. Estou tentando me acalmar, mas ainda acho que ela pode me atacar a qualquer momento com a faca que pegou do chão.

Fecho a porta e fico ali, agarrada à maçaneta, até me acalmar. Inspiro e expiro cinco vezes, com calma, na esperança de que Jeremy não veja o terror em meus olhos quando voltar lá e disser que não havia faca nenhuma.

Mas *havia* uma faca.

Minhas mãos estão tremendo. Não confio nela. Não confio nesta casa. Embora precise estar inteira para fazer meu trabalho, prefiro dormir dentro do carro no meio do Brooklyn do que passar mais uma noite nesta casa.

Massageio o pescoço para espantar a tensão e volto ao banheiro. Jeremy está fazendo um curativo no queixo de Crew.

— Sorte que não vai precisar levar pontos — diz Jeremy ao menino.

Ele ajuda Crew a lavar as mãos ensanguentadas e depois diz para ele ir brincar. Crew passa por mim e volta para o quarto de Verity.

Acho estranho que ele se divirta deitado na cama dela enquanto joga no iPad. Mas, enfim, certamente só quer ficar perto da mãe. *Vai lá, amigão. Eu só quero distância dela.*

— Pegou a faca? — pergunta Jeremy, enquanto seca a mão com uma toalha.

Tento disfarçar o medo em minha voz.

— Não achei.

Ele me olha por um segundo.

— Mas você viu uma faca?

— Achei que tinha visto. Talvez não. Não tinha nada lá.

— Vou dar uma olhada.

Ele passa por mim e anda na direção do quarto de Verity, mas para antes de entrar.

— Obrigado por ajudá-lo — diz, com um sorriso divertido. — Percebi que estava muito ocupada hoje.

Dá uma piscadinha para mim antes de entrar no quarto de Verity.

Fecho os olhos e morro de vergonha. *Eu mereço*. Ele deve achar que só fico admirando a paisagem da janela.

Devia tomar *dois* Xanax a essa altura do campeonato.

Quando volto ao escritório de Verity, o sol está começando a se pôr, o que significa que Crew vai tomar banho e dormir em breve. Verity vai continuar em seu quarto durante a noite. E eu vou me sentir um pouco mais segura porque, por algum motivo, é de Verity que tenho medo nesta casa. E durante a noite eu não a vejo. Na verdade, as noites se tornaram meu momento favorito do dia: é quando mais vejo Jeremy e menos vejo Verity.

Não sei por quanto tempo mais vou tentar me convencer de que não estou totalmente caída por esse cara. Não sei por quanto tempo mais vou tentar me convencer de que Verity é uma boa pessoa. Depois de ler todos os livros da série, estou começando a entender o motivo pelo qual suas histórias de suspense fazem tanto sucesso: é a forma como ela escreve do ponto de vista do vilão.

Os críticos amam essa característica. Quando ouvi o primeiro audiolivro no caminho para cá, adorei o fato de a narradora parecer um tanto psicótica. Fiquei me perguntando como ela fazia para entrar na mente de seus antagonistas. Mas isso foi antes de conhecê-la.

Bom, tecnicamente ainda não a conheço, mas conheço a Verity que escreveu a autobiografia. Fica muito claro que o estilo narrativo de seus romances não é estranho para ela. Afinal, é o que dizem: *escreva sobre o que você conhece*. Estou começando a achar que Verity escreve sob o ponto de vista do mal porque ela é má. Maldade é a única linguagem que ela conhece.

Eu mesma me sinto um pouco malvada ao abrir a gaveta e fazer exatamente o que jurei não repetir: ler mais um capítulo.

Capítulo Quatro

Preciso dar o braço a torcer: elas estavam mesmo determinadas a sobreviver.

Nada do que fiz funcionou. A tentativa de aborto, os comprimidos, a queda "acidental" da escada. Fiz todo esse esforço e o único resultado foi uma pequena cicatriz na bochecha de uma das crianças. Uma cicatriz que, tenho certeza, era minha culpa. Uma cicatriz sobre a qual Jeremy não calava a boca.

Quando já estávamos no quarto, poucas horas depois do parto — uma cesárea, graças a Deus —, o pediatra veio examinar as meninas. Fechei os olhos, fingindo que dormia, porque estava com medo de interagir com o pediatra. Achei que ele veria claramente que eu não tinha a menor ideia de como ser mãe daquelas coisas.

Jeremy perguntou ao médico sobre a cicatriz. Ele minimizou o problema e disse que era normal que gêmeas idênticas se arranhassem dentro do útero. Mas Jeremy não ficou satisfeito.

— É muito profundo para ser um arranhão.

— Pode ser uma cicatriz de tecido fibroso — respondeu o médico. — Não se preocupe, com o tempo vai ficar mais apagada.

— Não estou preocupado com a *estética* — rebateu Jeremy, meio na defensiva. — Minha preocupação é que seja algo mais sério.

— Não é. Suas filhas são completamente saudáveis. As duas.

Vai entender.

O médico saiu, a enfermeira também, e então ficamos apenas Jeremy, as meninas e eu. Uma delas estava dormindo naquela cama transparente — não sei como se chama. Jeremy estava segurando a outra. Olhava para ela e sorriu quando percebeu que eu estava de olhos abertos.

— Olá, mamãe.

Por favor, não me chame assim.

Sorri para ele, apesar de tudo. Ele ficava bem no papel de pai. Parecia feliz. O problema é que essa felicidade não tinha nada a ver comigo. Mesmo com ciúmes, aquilo me agradava. Ele provavelmente seria o tipo de pai que troca fraldas e ajuda a alimentá-las. Sabia que a cada dia ia gostar mais daquele lado dele. Só precisava me acostumar com aquilo. Com a ideia de ser mãe.

— Cadê a da cicatriz?

Jeremy fez uma careta, chateado com a minha escolha de palavras. Podia ser um jeito estranho de chamá-la, mas ainda não tínhamos escolhido os nomes. A cicatriz era o único jeito de identificá-la.

Ele a pegou no colo e colocou em meus braços. Olhei para ela esperando aquela torrente de emoções, mas não senti nem uma cosquinha. Passei os dedos pela cicatriz em sua bochecha. *Acho que o cabide não era forte o suficiente.* Talvez devesse ter usado algo que não dobrasse com a pressão. Uma agulha de tricô, quem sabe? Mas não sei se seria comprida o bastante.

— O médico disse que a cicatriz pode ser de um arranhão — contou Jeremy, rindo. — Já estavam brigando antes mesmo de nascer.

Sorri para ela. Não porque queria sorrir, mas porque é o que se esperava que eu fizesse. Não queria Jeremy pensando que eu não estava tão apaixonada por ela quanto ele. Peguei na mão dela com meu dedo mindinho.

— Chastin — sussurrei. — Você pode ficar com o nome mais bonito já que sua irmã foi tão má.

— Chastin. Amei — disse Jeremy.

— E Harper. Chastin e Harper.

Eram dois dos nomes que ele havia me mandado. Achei bons o suficiente. Escolhi estes porque Jeremy os mencionou mais de uma vez, então imaginei que estivessem no topo de sua lista. Talvez se ele percebesse o quanto eu o amava, não ia notar que faltava amor para as outras duas pessoas envolvidas.

Chastin começou a chorar. Estava se contorcendo em meus braços e eu não sabia muito bem o que fazer. Comecei a balançá-la, mas aquilo me incomodava, então parei. O choro foi ficando mais alto.

— Talvez ela esteja com fome — sugeriu Jeremy.

Eu tinha certeza de que elas não sobreviveriam ao parto depois de tudo que fiz, então nem pensei muito no que seria preciso fazer depois que nascessem. Sei que amamentá-las seria a melhor opção, mas não tinha a intenção de submeter meus seios a esse tipo de sacrifício. Ainda mais com duas delas.

— Parece que alguém está com fome — disse a enfermeira, quase saltitando ao entrar no quarto. — Você vai amamentar?

— Não — respondi imediatamente. Queria que ela saltitasse para fora dali.

Jeremy me olhou, preocupado.

— Tem certeza?

— Elas são *duas*.

Não gostei do olhar de Jeremy, como se estivesse decepcionado comigo. Não aguentava imaginar que seria assim a partir de agora. Ele vai ficar do lado delas. Eu não tenho mais importância.

— Não é mais difícil do que dar a mamadeira — opinou a Enfermeira Saltitante. — É até mais cômodo. Quer tentar?

Não tirei os olhos de Jeremy, esperando que ele me liberasse daquela tortura. Eu não me sentia bem sabendo que ele preferia a amamentação, embora houvesse diversas alternativas ótimas. Mas concordei e baixei a alça do vestido porque queria agradá-lo. Queria ele satisfeito com a mãe de suas filhas, embora *eu* não estivesse nada satisfeita com aquilo.

Tirei o sutiã e trouxe Chastin para perto do mamilo. Jeremy ficou admirando o tempo inteiro. Viu enquanto ela se agarrava ao meu mamilo. Viu sua cabeça se movendo para frente e para trás, a mãozinha segurando minha pele. Viu quando ela começou a sugar.

Aquilo parecia muito errado.

Uma criança sugando algo que Jeremy costumava chupar antes. Não gostei. Como ele poderia achar meus seios atraentes depois de ver aqueles bebês se alimentando deles todos os dias?

— Machuca? — perguntou Jeremy.

— Não exatamente.

Ele pôs a mão em minha cabeça, ajeitando meu cabelo para trás.

— Parece estar sentindo dor.

Não é dor. É nojo.

Fiquei olhando enquanto Chastin continuava se alimentando. Meu estômago revirou, mas fiz o possível para não mostrar o quão repugnante aquilo era para mim. Tenho certeza de que muitas mães acham esse momento lindo. Eu acho perturbador.

— Não consigo fazer isso — murmurei, deixando a cabeça cair no travesseiro.

Jeremy tirou Chastin do peito. Dei um suspiro de alívio ao me ver livre dela.

— Tudo bem — disse Jeremy, compreensivo. — Vamos usar fórmula.

— Tem certeza? Ela parecia estar pegando bem o peito — insistiu a enfermeira.

— Certeza absoluta. Vamos de fórmula.

A enfermeira concordou e saiu do quarto dizendo que ia buscar uma lata de Similac.

Sorri. Meu marido ainda me apoiava. Estava ao meu lado. Eu fui a prioridade naquele momento, e fiquei feliz com isso.

— Obrigada.

Ele beijou a testa de Chastin, pegou-a no colo e se sentou à beira da cama. Olhava para ela com uma expressão incrédula.

— Como posso me sentir tão protetor em relação a essas meninas que só conheço há poucas horas?

Queria lembrá-lo de que sempre foi muito protetor em relação *a mim*, mas não parecia o melhor momento para dizer isso. Eu me sentia quase uma intrusa nesse vínculo de pai e filha onde eu nunca estaria incluída. Ele já a amava mais do que a mim. Eventualmente acabaria ficando do lado dela, mesmo quando eu estivesse certa. Era tudo muito pior do que eu havia imaginado.

Ele limpou uma lágrima com a mão.

— Você está *chorando*?

Ele virou imediatamente a cabeça para mim, chocado com a pergunta. Entrei em pânico, mas consertei.

— Soou estranho. Desculpe. Eu perguntei de um jeito positivo. Amo o quanto você as ama.

A tensão desapareceu de seu rosto. Ele olhou novamente para Chastin.

— Nunca amei nada ou ninguém desse jeito. Você imaginava que seria capaz de amar tanto assim uma pessoa?

Revirei os olhos. *Eu já amei alguém tanto assim, Jeremy. Você. Durante quatro anos. Obrigada por perceber.*

10

Não sei por que estou surpresa ao colocar o manuscrito de volta na gaveta. Os papéis ali dentro todos balançam quando fecho a gaveta com raiva. *Por que estou com raiva?* Essa não é minha vida nem minha família. Dei uma olhada nas críticas dos livros de Verity antes de vir para cá. Nove entre dez críticos dizem ter vontade de jogar o livro ou o Kindle pela janela durante a leitura.

Quero fazer o mesmo com essa autobiografia. Esperava que o nascimento das meninas a transformasse numa pessoa melhor, mas não. Continua nesse lugar sombrio.

Ela parece tão dura e insensível. Mas eu não sou mãe. Será que muitas mães se sentem assim em relação aos filhos no começo? Se a resposta for sim, não falam abertamente sobre isso. Deve ser igual àqueles casos em que a mãe diz que não tem um filho favorito — mas provavelmente ela tem sim. É algo não dito que fica entre as mães. E você não fica sabendo até se tornar uma.

Ou talvez Verity simplesmente não merecesse ser mãe. Às vezes penso em ter filhos. Vou fazer 32 anos em breve e estaria mentindo se dissesse que esse assunto não me preocupa. Talvez a oportunidade nunca apareça. Mas se algum dia encontrar um homem para ser o pai dos meus filhos, acho que seria alguém como Jeremy. Em vez de valorizar o pai incrível que ele parecia ser, Verity decidiu ficar com raiva dele.

O amor de Jeremy pelas meninas parecia verdadeiro desde o início. E faz pouco tempo que ele as perdeu. Sempre me esqueço disso. Provavelmente ainda está lidando com o luto enquanto precisa cuidar de Verity, estar presente para Crew e garantir o sustento da família. Algumas pessoas não aguentariam metade do que ele está passando. Ele está lidando com tudo isso de uma vez só.

Encontrei algumas caixas com álbuns de fotografias no armário do escritório enquanto estava vasculhando as coisas de Verity essa semana. Separei uma delas, mas ainda não olhei as fotos. Parece mais uma invasão de privacidade da minha parte. Esta família, Jeremy, pelo menos, confiou em mim para terminar a série de livros. E eu continuo me distraindo com minha obsessão por Verity.

Mas se Verity coloca tanto de sua própria personalidade na série, eu preciso conhecê-la o mais profundamente possível. Não estou sendo enxerida. Estou pesquisando. É isso. Essa é minha justificativa.

Levo a caixa para a mesa da cozinha, abro a tampa e tiro um punhado de álbuns, me perguntando quem teve o trabalho de revelar as fotos. Hoje em dia, graças aos smartphones, ninguém mais tem tantas fotos impressas. Mas há muitas imagens das crianças aqui. Alguém fez questão de imprimir cada foto que eles tiraram. Aposto que foi Jeremy.

Olho para uma foto de rosto de Chastin e analiso por um momento sua cicatriz. Fiquei com isso na cabeça ontem e fui buscar no Google se tentativas de aborto poderiam causar danos às crianças no útero.

Nunca mais vou procurar isso de novo. Infelizmente, muitos bebês que sobrevivem a tentativas de aborto nascem desfigurados. Muito mais do que com uma simples cicatriz. Chastin teve muita sorte. Harper e ela tiveram.

Bem... Até o dia em que não tiveram mais.

Ouço os passos de Jeremy descendo as escadas. Não tento esconder as fotos. Acho que ele não vai se importar que eu esteja olhando.

Quando ele entra na cozinha, dou um sorriso e continuo olhando as fotos. Ele hesita um pouco, vai até a geladeira, mas não tira os olhos da caixa.

— Tenho a impressão de que conhecê-la melhor me ajuda a entender sua mente — explico. — Ajuda na hora de escrever.

Olho para a fotografia de Harper, a gêmea que raramente sorria nas fotos.

Jeremy senta ao meu lado e pega uma das fotos de Chastin.

— Por que Harper nunca sorria?

Jeremy se inclina e pega a foto da minha mão.

— Ela foi diagnosticada com Síndrome de Asperger quando tinha 3 anos. Não era muito expressiva.

Ele passa o dedo na foto e a coloca de lado, pegando outra na caixa. Uma de Verity com as duas meninas. Mostra para mim. As três estão vestidas com pijamas iguais. Se ela não amava as filhas nesta foto, finge muito bem.

— Foi nosso último Natal antes de Crew nascer — explica Jeremy.

Ele pega mais um punhado de fotos e vai olhando. De vez em quando para e olha mais demoradamente para as fotos das meninas, mas passa rapidamente as de Verity.

— Aqui — diz, separando uma do bolo. — Esta é minha foto favorita delas. Um raro sorriso de Harper. Ela era obcecada por animais, então montamos um pequeno zoológico no quintal no aniversário delas de 5 anos.

Sorrio para a foto. Mas só porque Jeremy está nela, com uma rara expressão de alegria.

— Como elas eram?

— Chastin era a protetora. Muito geniosa. Mesmo quando eram muito pequenas ela já sentia que Harper era diferente, e cuidava dela. Ficava tentando ensinar Verity e eu a cuidar da irmã. E, nossa, quando Crew nasceu, achamos que ela assumiria o papel de mãe dele. Ficou obcecada — conta, incluindo a foto na pilha das que já foram vistas. — Ela seria uma ótima mãe no futuro.

Ele pega uma foto de Harper.

— Harper era especial para mim. Às vezes acho que Verity não a entendia tanto quanto eu. Era quase como se eu conseguisse sentir suas necessidades, sabe? Harper tinha dificuldades em expressar emoções, mas eu sabia o que a afetava, o que a deixava feliz ou triste, mesmo quando ela não conseguia deixar claro. Na maioria das vezes Harper estava feliz. Mas não ficou muito interessada em Crew a princípio. Só quando ele já tinha uns 3 ou 4 anos e podia brincar com ela. Antes disso, ele era quase como mais um móvel da casa para ela.

Jeremy pega uma foto dos três.

— Crew ainda não perguntou sobre elas. Nem uma vez. Nunca nem mencionou seus nomes.

— Isso te preocupa?

Ele olha para mim.

— Não sei se deveria ficar aliviado ou preocupado.

— Provavelmente as duas coisas.

Pega uma foto de Verity e Crew, logo depois do nascimento dele.

— Ele fez terapia durante alguns meses. Mas fiquei com medo de que aquilo fosse só mais um lembrete semanal das tragédias, então o tirei. Se ele precisar, quando estiver um pouco mais velho, levo de novo. Quero que ele fique bem.

— E você?

Jeremy olha para mim de novo.

— O que tem?

— Como *você* está?

Ele continua me olhando.

— Meu mundo virou de cabeça para baixo quando Chastin morreu. E então acabou completamente quando Harper morreu.

Ele olha para a caixa com os álbuns.

— Quando recebi a ligação falando do acidente de Verity... Só conseguia sentir raiva.

— De quem? Deus?

— Não — diz, em voz baixa. — Fiquei com raiva de Verity.

Ele nem precisa dizer o motivo da raiva. *Ele acha que ela bateu na árvore de propósito.*

Está tudo quieto na cozinha... Na casa inteira. Ele mal respira.

Finalmente ele se levanta da cadeira. Eu me levanto também. Sinto que essa é a primeira vez que ele admite isso a alguém. Talvez até para si mesmo. Claramente ele não quer me contar o que está pensando, porque vira de costas e cruza as mãos na cabeça. Toco seu ombro e fico de frente para ele. Desço os braços até sua cintura e dou um abraço nele, com a cabeça em seu peito. Ele me abraça de volta com um longo suspiro e me aperta com força. Acho que há muito tempo Jeremy estava precisando de um abraço.

Ficamos assim por mais tempo que um abraço deveria durar, até que fica meio óbvio que não devíamos estar tão encaixados. Ele afrouxa os braços até não estarmos mais num abraço.

Estamos entrelaçados. Experimentando o peso de não sentir esse tipo de conexão há muito tempo. A casa está silenciosa, então escuto quando ele tenta segurar a respiração. Posso sentir a hesitação enquanto ele move as mãos até a parte de trás da minha cabeça.

Abro os olhos que estavam fechados porque quero olhar para ele. Tiro o rosto de seu peito, enquanto ele segura minha cabeça.

Ele está olhando para mim e não tenho a menor ideia se vai me beijar ou me afastar. De qualquer forma, já é tarde demais. Posso sentir tudo que ele está tentando esconder só no jeito como me toca. Na maneira como está prendendo a respiração.

Jeremy está chegando mais e mais perto da boca. Mas então seus olhos desviam e ele baixa as mãos.

— E aí, amigão? — pergunta Jeremy, por cima do meu ombro.

Ele dá um passo para trás e me solta. Seguro no encosto da cadeira, como se tudo tivesse ficado muito mais pesado agora que ele me soltou.

Crew está na porta, nos encarando. Sem qualquer expressão. Está muito parecido com Harper. Seus olhos avistam a caixa de fotografias e ele vai até ela. Quase corre, na verdade.

— Crew... — chama Jeremy, com uma voz gentil.

Tenta pegar o menino pelo pulso, mas ele se desvencilha.

— Ei! — diz, chegando mais perto dele.

Posso sentir a perplexidade na voz de Jeremy, como se esse fosse um lado novo da personalidade de Crew.

O menino começa a chorar enquanto coloca as fotos de volta na caixa.

— Crew — argumenta Jeremy, sem esconder a preocupação. — Estamos só olhando fotos.

Ele tenta pegar Crew no colo, mas o menino se desvencilha de seus braços. Jeremy o agarra novamente, puxando-o para perto do peito.

— Guarda isso! — grita Crew para mim. — Não quero ver!

Pego o restante das fotografias e as guardo. Fecho a tampa e seguro bem a caixa enquanto Crew ainda está se contorcendo para sair do colo de Jeremy. Os dois saem da cozinha e sobem as escadas, enquanto fico ali sozinha, abalada e preocupada.

O que foi isso?

Durante vários minutos fica tudo quieto lá em cima. Não ouço Crew brigando ou gritando, acho que é um bom sinal. Mas meus joelhos tremem e minha cabeça está pesada. Preciso deitar. Talvez não devesse ter tomado dois Xanax. Ou talvez não devesse ter colocado essas fotos na frente de uma família que ainda não se recuperou de suas perdas. Ou talvez não devesse ter quase beijado um homem casado. Esfrego minha testa. De repente, só quero correr para bem longe desta casa cheia de tristeza e não voltar mais.

O que ainda estou fazendo aqui?

11

Mesmo no auge de um dia lindo, com o sol brilhando no alto do céu, o clima nesta casa é lúgubre. São quatro da tarde. Jeremy está trabalhando no deque de novo e Crew brinca perto dele, na areia.

Uma energia carregada de angústia paira pela casa. Está sempre aqui e não consigo ignorá-la. Parece ficar pior à noite, mais sombria e intensa. Tenho certeza de que deve ser coisa da minha cabeça, mas isso também não me tranquiliza. O que espreita a mente pode ser tão perigoso quanto as ameaças da vida real.

Acordei durante a madrugada para ir ao banheiro. Pensei ter ouvido um barulho no corredor — passos que pareciam mais leves que os de Jeremy e mais pesados que os de Crew. Pouco depois, os degraus da escada começaram a ranger, como se alguém estivesse descendo pé ante pé, com cuidado. Demorei para pegar no sono depois disso porque, numa casa desse tamanho, os barulhos são inevitáveis. E, com minha imaginação de escritora, todo barulho vira uma ameaça.

Coloco a cabeça para fora do escritório. Ainda estou meio assustada, e ouço apenas April falando com alguém na cozinha. É o tom de voz apaziguador que usa para falar com Verity, como se estivesse tentando trazê-la de volta à vida. Nunca ouvi Jeremy falar com a esposa. Mas ele admitiu estar com raiva dela. Será que ainda a ama? Será que senta no quarto e diz a ela o quanto sente falta do som de sua voz? Parece algo que ele faria. Ou teria feito no passado. *Mas e agora?*

Ele cuida dela, ajuda a alimentá-la às vezes, mas nunca o vi conversando com ela. Imagino se é porque não acredita mais que a esposa esteja ali. Como se aquele corpo não fosse mais sua mulher.

Talvez ele consiga separar a raiva e a decepção que sente por Verity daquela mulher de quem ele cuida, porque não sente mais que sejam a mesma pessoa.

Vou até a cozinha porque estou com fome, mas também pela curiosidade de ver April interagindo com Verity. Quero checar se ela dá algum tipo de resposta física aos cuidados da enfermeira.

April está sentada à mesa com o almoço de Verity. Abro a geladeira e fico observando. Sua mandíbula se move para cima e para baixo, quase de forma robótica, depois que April lhe dá uma colherada de purê de batatas. A comida é sempre leve. Purê de batatas, purê de maçã, vegetais cozidos. Comida de hospital: sem graça e fácil de digerir. Pego um dos pudins de Crew e me sento à mesa com as duas. April só me dá um rápido olhar e um leve aceno.

Depois de comer um pouco do pudim, decido tentar uma conversa com essa mulher que insiste em me ignorar.

— Há quanto tempo é enfermeira?

April tira a colher da boca de Verity e mergulha novamente no purê.

— Tempo suficiente para estar perto de me aposentar.

— Que bom.

— Mas você é minha paciente favorita — diz a Verity. — De longe.

April responde olhando para Verity, embora *eu* esteja fazendo as perguntas.

— Há quanto tempo está trabalhando com Verity?

Mais uma vez, ela responde olhando para a paciente.

— Há quanto tempo estamos juntas? — pergunta, como se Verity fosse responder. — Quatro semanas?

Ela olha de volta para mim.

— Sim, fui contratada oficialmente há quatro semanas.

— Já conhecia a família antes do acidente?

— Não.

Ela limpa a boca de Verity e coloca o prato na mesa.

— Posso falar com você um instante? — pergunta April, acenando em direção ao corredor.

Paro, imaginando por que precisamos sair da cozinha para falar. Mas me levanto e vou atrás dela. Encosto na parede ainda comendo o pudim, enquanto April põe as mãos nos bolsos do uniforme.

— Não imaginei que você saberia disso, principalmente se nunca conviveu com alguém nesse estado. Mas é desrespeitoso falar sobre as pessoas na situação de Verity como se não estivessem na sua frente.

Seguro a colher e a coloco de volta no pote do pudim.

— Desculpe. Não percebi que estava fazendo isso.

— É normal, principalmente quando a gente acha que a pessoa não reconhece nada ao redor. É claro que o cérebro de Verity não processa as informações como antes, mas não sabemos o quanto processa. É só tomar cuidado com o que fala na frente dela.

Ajeito a postura e saio da posição informal encostada na parede. Não tinha ideia de que estava ofendendo.

— Claro — digo, concordando.

April sorri, pela primeira vez de verdade.

Felizmente nosso momento termina graças a Crew. Ele entra correndo pela porta, segurando algo nas mãos, passa por mim e April e vai até a cozinha. April vai atrás dele.

— Mãe — chama Crew, animado — Mãe, mãe, achei uma tartaruga!

Passando os dedos no casco, ele para na frente dela, exibindo a tartaruga.

— Mãe, olha pra ela!

Ele segura um pouco mais alto, tentando fazer com que ela olhe para a tartaruga. Claro que Verity não olha. Ele tem apenas 5 anos, provavelmente não consegue entender os motivos pelos quais ela não fala com ele, olha para ele ou reage à sua animação. Imediatamente me sinto mal por Crew, que claramente ainda espera que ela se recupere.

— Crew — digo, andando até ele. — Posso ver sua tartaruga?

Ele se vira e mostra para mim.

— Não é uma tartaruga-mordedora. Meu pai disse que essas têm umas marcas no pescoço.

— Uau, isso é muito legal. Vamos lá fora achar um lugar para ela.

Ele pula de tão animado e sai correndo para fora. Vou atrás dele e o ajudo a procurar ao redor da casa, até que ele encontra um velho balde vermelho para pôr a tartaruga. Crew se joga na grama e coloca o balde no colo.

Eu me sento ao lado dele, em parte porque estou começando a sentir muita pena dessa criança, mas também porque deste ponto tenho uma ótima visão de Jeremy enquanto trabalha no deque.

— Papai disse que não posso ter outra tartaruga porque matei a última.

Viro a cabeça para ele.

— Você matou sua última tartaruga? Como?

— Eu a perdi dentro de casa. Mamãe achou embaixo do sofá e estava morta.

Ufa. Tudo bem. Minha mente já começou a imaginar algo muito mais macabro. Por um segundo achei que Crew tinha matado a tartaruga de propósito.

— Podemos deixar ela bem aqui na grama. Assim, você pode ver para que lado ela vai. Quem sabe não nos leva até sua família secreta de tartarugas?

Crew pega o animal do balde.

— Será que ela tem um marido? — pergunta.

— Talvez sim.

— Pode ser que tenha filhos também.

— Pode ser.

Crew coloca a tartaruga na grama, mas obviamente ela está muito assustada para se mover. Ficamos olhando por um tempo, esperando ela sair de dentro do casco. De rabo de olho, vejo Jeremy se aproximando. Quando chega mais perto, olho para ele, tapando o sol com a mão.

— O que vocês dois acharam?

— Uma tartaruga — responde Crew. — Mas pode deixar que não vou ficar com ela.

Jeremy olha para mim com um sorriso agradecido. Então senta na grama ao lado de Crew. O menino chega mais perto dele, mas, ao segurar o braço do pai, se desvencilha.

— Que nojo, você está suado.

Jeremy está mesmo suado, mas não acho nada nojento.

Crew se levanta.

— Estou com fome. Você prometeu que a gente ia jantar fora hoje. Tem anos que a gente não vai em um restaurante.

Jeremy ri.

— Anos? Tem uma semana que fomos ao McDonald's.

— Sim, mas a gente sempre saía para jantar fora antes de as minhas irmãs morrerem.

Os ombros de Jeremy ficam tensos com o comentário. Ele tinha dito que Crew não havia falado sobre as meninas desde que morreram. Esse é um momento importante.

Jeremy respira fundo e dá um tapinha nas costas de Crew.

— Você está certo. Vá lavar as mãos e se arrumar. A gente tem que voltar antes de April ir embora.

Crew corre para dentro de casa sem nem se lembrar da tartaruga. Jeremy fica olhando para ele, o olhar cheio de pensamentos. Então levanta e me dá a mão.

— Quer ir?

Ele está me chamando para um jantar entre amigos com seu filho, mas meu coração responde como se estivesse me chamando para um encontro. Sorrio enquanto limpo a poeira da calça jeans.

— Adoraria.

***

Ainda não tinha feito nenhum esforço para me arrumar desde que cheguei à casa de Jeremy. E não é que tenha feito grande coisa desta vez, mas ele deve ter notado o rímel, o gloss e o fato de eu estar com cabelo solto pela primeira vez. Quando chegamos ao restaurante, e ele segurou a porta para mim, disse quase num sussurro:

— Você está muito bonita.

O elogio colocou borboletas no meu estômago, e ainda posso senti-las, mesmo agora depois de comer. Crew está sentado ao lado de Jeremy. Está contando adivinhações desde que terminou a sobremesa.

— Tenho outra: por que o pinheiro não se perde?

Jeremy nem tenta responder às adivinhações porque já as ouviu milhões de vezes. Sorrio para Crew fingindo não saber a resposta.

— Porque ele tem "uma pinha"! — responde, caindo na gargalhada. — Um "mapinha", entendeu?

Sua reação às próprias adivinhações me faz rir mais do que as piadas em si.

— Sabe quem é o rei dos queijos?

— Não sei. Quem é?

— É o requeijão!

Não parei de rir desde que ele começou com as piadas.

— Sua vez! — diz Crew para mim.

— Eu?

— Sim, sua vez de contar uma piada.

Ai, meu Deus, estou me sentindo pressionada por uma criança de 5 anos.

— Está bem, deixa eu pensar.

Alguns segundos depois, estalo os dedos.

— Já sei. O que é verde, felpudo e, se cair de uma árvore, pode te matar?

Crew se inclina com a mão no queixo.

— Hummmm. Não sei.

— Um piano verde e felpudo.

Crew não ri da minha piada. Nem Jeremy. *A princípio.*

Alguns segundos depois, Jeremy dá uma gargalhada enorme que me faz sorrir.

— Não entendi — reclama Crew.

Jeremy ainda está rindo e balançando a cabeça.

Crew olha para ele.

— Por que é engraçado?

Jeremy abraça o menino.

— Não é. É engraçado porque *não* é engraçado.

Crew olha para mim.

— Não é assim que funcionam as piadas.

— Está bem, tenho outra. O que é vermelho e tem formato de balde?

Crew dá de ombros.

— Um balde azul pintado de vermelho.

Jeremy aperta a mandíbula tentando segurar a gargalhada. Vê-lo rir assim é a melhor coisa que aconteceu desde que cheguei aqui.

Crew franze o nariz.

— Você não é muito boa em contar piadas.

— Ah, que é isso? Essas foram tão engraçadas.

Crew balança a cabeça, decepcionado.

— Espero que não tente fazer piada nos seus livros.

Jeremy recosta na cadeira tentando segurar o riso quando a garçonete chega com a conta. Ele pega da mão dela.

— É por minha conta.

Quando voltamos à casa, Crew entra correndo antes de nós.

— Crew, avise a April que nós já chegamos — pede Jeremy.

Ele fecha a porta da garagem e ficamos parados antes de entrar na casa. Estamos num cantinho escuro perto da escada, mas há um feixe de luz vindo da cozinha bem no rosto dele.

— Obrigada pelo jantar. Foi divertido.

Jeremy tira o casaco.

— Foi sim.

Está sorrindo ao pendurar o casaco no cabideiro perto da porta. Ele parece diferente hoje, mais leve que o normal.

— Tenho que levar Crew para passear mais vezes.

Aceno para concordar, deslizando minhas mãos para os bolsos de trás. Os próximos segundos são de um silêncio incômodo. Parece aquele momento no fim de um encontro em que é preciso decidir entre um beijo ou um abraço.

Claro, nenhum dos dois seria apropriado neste caso, porque não foi um encontro.

Por que, então, tenho a sensação de que foi?

Nossos olhares se descruzam quando Crew começa a descer as escadas. Jeremy olha para baixo por um momento, mas, antes de sair dali, dá um suspiro de alívio. Como se Crew tivesse interrompido alguma coisa da qual ele iria se arrepender. Alguma coisa da qual *eu* não iria me arrepender.

Respiro fundo, vou para o escritório e fecho a porta. Preciso me distrair. Estou me sentindo vazia — uma dor no estômago que não vai embora. Preciso de mais momentos com ele. Mas não posso. Não *devo.*

Folheio o manuscrito de Verity procurando alguma cena íntima com Jeremy.

Não sei bem o que isso diz sobre mim. Ler isso é errado em diversos níveis, mas não é tão errado quanto realmente ter algo com ele, fisicamente.

Não posso tê-lo na vida real, mas posso descobrir como Jeremy é na cama para turbinar as fantasias que certamente terei com ele como protagonista.

Capítulo Cinco

Estava prestes a ter um colapso nervoso. Dava para sentir. Ou um ataque de fúria. Um chilique. Um faniquito. Mas nenhum deles seria muito apropriado.

Eu simplesmente não aguentava mais. Se uma não estava chorando, a outra estava. Se uma não estava com fome, a outra estava. Raramente elas dormiam ao mesmo tempo. Jeremy ajudava muito e dividia o trabalho comigo. Se tivéssemos só um bebê daria para ter uma folga. Mas com duas era como se cada um cuidasse sozinho de uma criança em tempo integral.

Quando as meninas nasceram, Jeremy ainda trabalhava como corretor imobiliário. Tirou duas semanas de folga para me ajudar, mas logo precisou voltar ao trabalho. Não tínhamos dinheiro para pagar uma babá. O adiantamento que recebi pela venda do meu primeiro livro havia sido bem pequeno. Estava apavorada em ficar nove horas por dia sozinha com aqueles bebês.

No entanto, a volta de Jeremy ao trabalho acabou sendo a melhor coisa que me aconteceu.

Ele saía às sete da manhã. Eu acordava junto com ele, para que me visse tomando conta das meninas. Depois que ele saía, eu colocava as duas de volta no berço, desligava a babá eletrônica e voltava para a cama. Desde o dia em que ele voltou a trabalhar, passei a dormir mais. Nosso apartamento era no fim do prédio, então o quarto delas não dava para nenhum outro apartamento. Ninguém podia ouvi-las chorar.

Eu também não as ouvia chorar depois de colocar meus tampões de ouvido.

Três dias depois de Jeremy voltar ao trabalho, senti que minha vida estava voltando ao normal. Dormia bastante o dia inteiro mas, pouco antes de Jeremy voltar do trabalho, eu as alimentava, dava banho e começava a fazer o jantar. Toda noite, ao chegar, ele via as crianças finalmente calmas, sentia o cheirinho da comida vindo da cozinha e ficava impressionado com o quão bem eu estava me saindo.

Acordar à noite para alimentá-las não me incomodava mais, porque minha rotina de sono já estava regulada. A maior parte do meu sono acontecia quando Jeremy estava no trabalho. E as meninas dormiam muito bem à noite graças à exaustão de passar o dia inteiro chorando. Mas chorar provavelmente era bom para elas. À noite, enquanto todos dormiam, eu conseguia escrever. Ou seja, ainda por cima estava avançando na carreira.

O único aspecto que ainda deixava a desejar era a cama. O médico ainda não havia me liberado para fazer sexo porque só tinham passado quatro semanas do parto. Mas eu sabia que se não mantivesse viva essa parte do casamento, o marasmo podia se espalhar para outras áreas. Uma vida sexual ruim é como um vírus. O casamento pode estar saudável em todos os outros quesitos, mas se o sexo acaba, começa a infectar todas as partes do relacionamento.

Eu não ia deixar isso acontecer conosco.

Tinha tentado transar com ele na noite anterior, mas Jeremy ficou com medo de me machucar. Estava preocupado com a incisão da cesárea. Ele leu na internet que não podia nem mesmo enfiar um dedo em mim até que o médico liberasse, e ainda faltavam duas semanas para a consulta. Ele se recusava a transar comigo até que um médico desse o ok.

Mas eu não queria esperar tanto. Não podia. Sentia falta dele. Sentia falta de ter aquela conexão com ele.

Naquela noite, às duas da manhã, Jeremy acordou com a minha língua passeando por seu pau. Tenho quase certeza de que já estava duro antes mesmo de estar completamente acordado.

Só sei que ele acordou porque colocou a mão em minha cabeça e deslizou os dedos pelo meu cabelo. Foi o único movimento que fez. Nem mesmo levantou a cabeça do travesseiro para me olhar e, por algum motivo, gostei disso. Não sei nem se abriu os olhos. Manteve-se quieto e silencioso enquanto eu o deixava louco com a minha língua.

Lambi, provoquei e o toquei durante quinze minutos sem nunca colocá-lo efetivamente na boca. Sabia o quanto ele me queria porque estava ficando inquieto e precisava aliviar aquela pressão. Mas não queria que fizesse isso na minha boca. Queria que me penetrasse pela primeira vez em semanas.

Sua mão estava impaciente, apertando minha cabeça e empurrando-a para baixo, implorando para que o colocasse na boca. Não fiz e continuei resistindo à pressão da mão enquanto o beijava e lambia. Ele só queria que o enfiasse na boca.

Quando tive certeza de que estava completamente alucinado e o desejo seria maior do que a preocupação por mim, eu me afastei. Ele veio atrás. Deitei e abri as pernas, e ele entrou em mim tão rápido que não deu tempo de pensar duas vezes, se era ou não muito cedo. Não foi nem gentil. Foi como se minha língua tivesse realmente o deixado louco. Ele penetrava tão forte que *realmente* me machucou.

Durou quase uma hora e meia, porque, assim que ele terminou, eu o chupei até que ficasse duro novamente. Nas duas vezes em que transamos, não dissemos uma palavra. Mesmo depois de tudo, eu acabada sentindo o peso de seu corpo exausto sobre mim, não dissemos nada. Jeremy deitou de volta na cama e se enroscou em mim. Os lençóis estavam cobertos de suor e sêmen, mas estávamos com muito sono para prestar atenção nisso.

Naquela hora eu soube que ficaríamos bem. Jeremy ainda venerava meu corpo da mesma maneira.

As meninas podiam ter roubado muita coisa, mas o desejo dele era a única que sempre seria minha.

12

Este capítulo foi o mais difícil de ler até agora. É ultrajante que uma mãe tenha a coragem de dormir tranquilamente enquanto as filhas choram do outro lado do corredor. Verity é muito insensível. Estava achando que ela talvez fosse uma sociopata, mas agora estou inclinada a acreditar que é psicopata mesmo.

Deixo o manuscrito de lado e vou até o computador de Verity para refrescar a memória sobre a exata definição de um psicopata. Vou olhando todas as características. Mentiroso patológico, perspicaz e manipulador, não sente culpa ou remorso, insensibilidade, falta de empatia, respostas emocionais superficiais...

Ela demonstra ter todas as características. A única coisa que me faz questionar sua psicopatia é a obsessão por Jeremy. Psicopatas têm dificuldade em se apaixonar e, mesmo quando isso acontece, não conseguem sustentar o sentimento. A tendência é pular rapidamente de uma pessoa para outra. Mas Verity não queria pular fora de Jeremy. Ele era o único foco da vida dela.

O cara está casado com uma psicopata mas não sabe disso, porque ela fez de tudo para esconder.

Ouço uma batida leve à porta e minimizo a janela do computador. Quando abro, Jeremy está parado no corredor. Seus cabelos estão úmidos e ele usa uma camiseta branca com uma calça preta de pijama.

Esse é meu visual favorito dele. Descalço, casual, tranquilo. É muito sexy e detesto estar tão atraída por ele. Será que eu estaria desse jeito se não fossem todos os detalhes íntimos sobre os quais li no manuscrito?

— Desculpe te atrapalhar. Preciso de um favor.

— O que houve?

Ele me pede para segui-lo.

— Tem um aquário antigo em algum lugar no porão. Preciso só que você segure a porta para eu conseguir carregar aqui para cima. Vou limpar para o Crew.

Sorrio.

— Vai deixar ele ficar com a tartaruga?

— É, ele ficou animado hoje. Já está um pouco mais velho, então espero que desta vez ele se lembre de dar comida.

Chegamos à porta do porão e Jeremy abre.

— A porta foi instalada ao contrário. É impossível subir com as mãos ocupadas, você não consegue abrir a porta.

Jeremy acende a luz e começa a descer as escadas. O porão não se parece com o resto da casa. Está abandonado e descuidado, como uma criança negligenciada. Os degraus rangem e há poeira no corrimão. Normalmente eu teria zero vontade de descer a um porão tão pouco convidativo. Especialmente numa casa que já me deixa apavorada. Mas o porão é o único lugar da casa que não conheço, e estou curiosa para saber o que há aqui embaixo. Que tipo de coisas Verity deixou por aqui esquecidas?

A escadaria que leva ao porão é escura, porque o interruptor que fica no topo da escada acende apenas a luz do porão. Quando chegamos ao último degrau, a sensação é de alívio: o cômodo não é tão soturno quanto eu esperava. À esquerda há uma escrivaninha que parece não ser usada há muito tempo. Há pilhas de arquivos e papéis por toda a mesa, que parece mais um depósito do que efetivamente um local onde alguém pode se sentar para trabalhar.

À direita estão caixas de diversos objetos acumulados ao longo dos anos em que estão juntos. Algumas com tampa, outras não. Dá para ver uma babá eletrônica saindo de uma delas e sinto um arrepio ao me lembrar do último capítulo que li, no qual Verity admite que desligava o aparelho durante o dia para não ouvir as crianças chorando.

Jeremy está remexendo um punhado de coisas em meio às caixas.

— Você trabalhava aqui embaixo?

— Sim, tinha uma corretora de imóveis e sempre trazia muito trabalho para casa. Aqui era o meu escritório.

Ele levanta um lençol que revela um aquário coberto de poeira.

— Achei!

Jeremy começa a examinar tudo que está dentro do aquário para garantir que todos os pedaços estão ali.

Ainda estou pensando nessa carreira da qual desistiu, e que mencionou tão casualmente.

— Você tinha sua própria empresa?

Ele pega o aquário e leva até a mesa do outro lado do porão. Tiro os papéis para abrir espaço.

— Sim. Comecei no mesmo ano em que Verity começou a escrever livros.

— E você amava esse trabalho?

Ele assente.

— Amava. Era muito trabalho, mas eu era bom naquilo.

Ele liga o aquário na tomada para testar se as luzes ainda funcionam.

— Quando o primeiro livro da Verity foi lançado, a gente achou que aquilo seria mais um hobby do que uma carreira. Mesmo quando ela vendeu para uma editora, não levamos muito a sério. Mas então o livro começou a se espalhar e ela foi vendendo mais e mais exemplares. Depois de alguns anos, o pagamento dela fazia o meu parecer uma miséria.

Ele ri, como se aquilo fosse uma lembrança afetuosa e não algo que o incomodasse.

— Quando ela engravidou do Crew, sabíamos que eu só continuava trabalhando para não ficar parado. Meu salário não tinha nenhum impacto em nossas vidas. E o trabalho consumia muito do meu tempo, então a decisão óbvia foi desistir.

Ele tira o aquário da tomada. Na mesma hora, um estouro apaga a única luz do porão. Está um breu. Sei que ele está na minha frente, mas não posso vê-lo. Meu pulso acelera, e então sinto sua mão em meu braço.

— Estou aqui — diz ele, colocando minha mão em seu ombro. — O disjuntor deve ter desarmado. Fique perto de mim. Quando a gente chegar ao topo da escada, é só abrir a porta para mim.

Sinto seus músculos do ombro se contraírem ao levantar o aquário. Mantenho a mão em seu ombro, andando bem perto dele enquanto subimos a escada. Ele sobe cada degrau bem devagar, provavelmente para me ajudar. Para e encosta na parede. Passo por ele e procuro pela maçaneta. Ao abrir a porta, somos inundados pela luz.

Jeremy sai primeiro. Assim que saio, fecho a porta rapidamente, numa batida violenta. Ele ri quando dou um suspiro de alívio.

— Não é muito fã de porões, né?

Balanço a cabeça.

— Não sou fã de porões escuros.

Jeremy põe o aquário na mesa da cozinha e dá uma olhada.

— Está cheio de poeira — constata, pegando novamente o aquário. — Você se importa se eu levar para lavar no banheiro do quarto, no chuveiro? Vai ser mais fácil do que na pia.

— Claro que não.

Jeremy carrega o aquário para o banheiro do quarto. Parte de mim quer ir atrás e ajudar, mas não vou. Volto para o escritório e tento ao máximo me concentrar na série que deveria estar escrevendo. Mas continuo distraída pensando em Verity, como sempre fico depois que termino mais um capítulo da autobiografia. Ainda assim, não consigo parar de ler. É como um acidente do qual você não consegue desviar os olhos. E Jeremy ainda nem percebeu que está preso nas ferragens.

Opto por escrever em vez de voltar a ler o manuscrito, mas avanço bem pouco até a hora em que Jeremy termina de usar o banheiro. Decido encerrar o dia de trabalho e voltar ao quarto.

Depois de lavar o rosto e escovar os dentes, olho para minhas camisas, penduradas no armário. Não estou com vontade de usar nenhuma delas, então começo a olhar as de Jeremy. A camisa que ele me emprestou ficou com seu cheiro o dia inteiro, quando a usei. Passo por várias delas até achar uma camiseta que é macia o suficiente para dormir. Do lado esquerdo, em cima do peito, lê-se um pequeno "Corretora de Imóveis Crawford".

Visto a camiseta e ando em direção à cama. Antes de me deitar, olho as marcas de mordidas na cabeceira e passo os dedos sobre elas. Ao longo da cabeceira vejo que há mais de uma marca de dentes. São cinco ou seis lugares onde Verity mordeu a cabeceira, alguns mais sutis, só perceptíveis bem de perto.

Subo na cama e me ajoelho de frente para a cabeceira. Coloco um travesseiro entre as pernas e me imagino nessa posição: sentada sobre o rosto de Jeremy, enquanto me agarro à cabeceira. Fecho os olhos e deslizo a mão por dentro da camiseta, imaginando que é a mão dele subindo pela minha barriga e acariciando meus seios.

Dou um suspiro entre os lábios, mas logo saio do transe ao ouvir um barulho. Olho para o teto: é o som da cama de hospital de Verity, que começa a se mexer.

Tiro o travesseiro do meio das pernas e me deito. Olhando para cima, fico imaginando o que passa pela mente de Verity — se é que passa alguma coisa. Será que é uma escuridão completa? Ela ouve o que os outros dizem? Sente o sol em sua pele? Sabe quem a está tocando?

Deixo os braços ao lado do corpo e fico parada, imaginando como seria não conseguir controlar meus movimentos. Vou ficando mais inquieta a cada minuto, mas me mantenho na mesma posição. Preciso coçar o nariz, e imagino se isso a incomoda: não poder levantar a mão para coçar alguma parte do corpo. Ou até mesmo se ela sente coceira nessas condições.

Fecho os olhos e só consigo pensar que provavelmente Verity merece toda a escuridão, a imobilidade, o silêncio. Mas, sendo a psicopata que é, ela talvez ainda esteja fazendo todos nós de fantoches, mesmo com as mãos imóveis.

13

Sinto um cheiro diferente ao abrir os olhos. Os barulhos também são estranhos.

Não tenho dúvida de onde estou. Sei que estou na casa de Jeremy. Mas... não estou em meu quarto.

Olho para a parede. No quarto principal, ela é cinza clara. Essa aqui é amarela. *Amarela, como as paredes dos quartos do segundo andar.*

A cama onde estou deitada começa a se mexer, mas não é porque alguém esteja se movendo. É diferente, como se fosse... mecânico.

Fecho os olhos bem apertados. Deus, por favor. *Não, não, não, não, diga que não estou na cama de Verity.*

Meu corpo todo treme. Abro os olhos devagar e viro a cabeça em ritmo bem lento. Quando vejo a porta, a cômoda e a TV na parede, imediatamente rolo da cama e caio no chão. Vou me arrastando até a parede e me levanto, ainda encostada nela. Não consigo abrir os olhos. Mal consigo ficar em pé de tão histérica.

Estou tremendo tanto que posso ouvir o barulho da minha respiração. Dou um grunhido a princípio, mas é só abrir os olhos e encarar Verity naquela cama que começo a gritar.

Mas rapidamente levo a mão à boca.

Está escuro lá fora. Todos estão dormindo. Preciso ficar quieta.

Há muito tempo isso não acontecia. Anos, provavelmente. Mas está acontecendo agora. Estou apavorada e não tenho a menor ideia de como vim parar aqui. Será que é porque estava pensando nela?

Não há qualquer padrão no sonambulismo, Lowen. Não tem sentido. Nem tem a ver com intenção.

Ouço as palavras do meu terapeuta, mas não quero nem começar a digeri-las. *Preciso sair daqui. Anda logo, Lowen.*

Vou para o outro lado do quarto, o mais longe possível daquela cama e em direção à porta. As lágrimas correm pelo meu rosto ao abrir a maçaneta e sair correndo do quarto.

Então Jeremy me segura e me obriga a parar.

— Ei! — diz, virando meu rosto em sua direção.

Ele vê as minhas lágrimas e o terror em meus olhos. Quando me solta, saio correndo. Passo pelo corredor, desço as escadas e só paro ao bater a porta do quarto e voltar à minha cama.

Que porra é essa?

Aninhada por baixo das cobertas, fico encarando a porta. Meu pulso começa a latejar, então o seguro com a outra mão e trago até o peito.

A porta se abre, Jeremy entra e depois a fecha. Está sem camisa, com uma calça de pijama vermelha de flanela. Só vejo um borrão vermelho à medida que ele se aproxima. Logo ele está de joelhos, com a mão em meu braço, seus olhos procurando os meus.

— Lowen, o que aconteceu?

— Desculpa — murmuro, enxugando as lágrimas. — Desculpa.

— Desculpar pelo quê?

Balanço a cabeça e me sento na cama. Vou ter que explicar a ele. Ele acabou de me flagrar no quarto de sua mulher no meio da noite. Deve estar com a cabeça fervilhando de perguntas. Perguntas para as quais não tenho resposta, na verdade.

Jeremy senta ao meu lado na cama, levantando uma das pernas para ficar de frente para mim. Coloca as mãos em meus ombros e abaixa a cabeça, me encarando com um olhar muito sério.

— O que aconteceu, Low?

— Não sei — digo, me balançado para a frente e para trás. — Sou sonâmbula às vezes. Não acontecia há muito tempo, mas tomei dois Xanax mais cedo, e acho que talvez... Não sei.

Minha voz soa histérica, que é exatamente como me sinto. Jeremy percebe, porque segura forte meus braços e me traz mais para perto, tentando me acalmar. Não pergunta mais nada por alguns minutos. Acaricia minha cabeça para me consolar. Por mais que ter seu apoio seja maravilhoso, ainda me sinto culpada. Não mereço.

Quando ele se afasta, posso praticamente ver a pergunta saindo de seus lábios.

— O que estava fazendo no quarto de Verity?

Balanço a cabeça.

— Não sei. Acordei lá. Fiquei assustada, gritei e...

Ele aperta bem minhas mãos.

— Você está bem?

Gostaria de concordar, mas é impossível. *Como vou dormir nesta casa depois disso?*

Já perdi a conta de quantas vezes acordei em lugares aleatórios. Acontecia com tanta frequência que, durante um período, tive três fechaduras na porta do quarto. Já estou acostumada a acordar em quartos estranhos. Mas por que, de todos os quartos desta casa, eu tinha que ir parar no de Verity?

— Foi por isso que pediu uma fechadura para a porta? Para te impedir de sair?

Concordo com a cabeça. Por algum motivo, ele ri da resposta.

— Meu Deus. Pensei que era por que estava com medo de *mim*.

Ainda bem que ele está encontrando algo para rir nesse momento, porque eu não consigo.

— Ei, ei — diz, delicadamente, levantando meu queixo para que eu o olhe. — Você está bem. Está tudo bem. Sonambulismo é uma coisa inofensiva.

Balanço a cabeça em discordância.

— Não é não, Jeremy — respondo, ainda segurando o pulso contra meu peito. — Já acordei fora de casa, já liguei fornos e fogões enquanto dormia. Já até... — Suspiro antes de falar. — Já quebrei a mão dormindo e só senti ao acordar na manhã seguinte.

Sinto uma carga de adrenalina pelo corpo: o que acabou de acontecer agora vai para essa lista de coisas perturbadoras que já fiz durante o sono. Mesmo inconsciente, subi a escada e deitei na cama. Se sou capaz de fazer algo tão bizarro, o que mais poderia fazer?

Abri a fechadura dormindo ou simplesmente tinha me esquecido de trancar? Não lembro.

Saio de baixo das cobertas e vou até o armário. Pego minha mala e algumas camisas que estão penduradas.

— Tenho que ir embora.

Jeremy não diz nada, então continuo fazendo a mala. Estou no banheiro recolhendo meus itens de higiene quando ele aparece na porta.

— Está indo embora?

Concordo com a cabeça.

— Acordei no *quarto* dela, Jeremy. Mesmo com uma fechadura na porta. E se acontecer de novo? E se eu assustar Crew? —

pergunto e abro o armário do banheiro para pegar minha gilete. — Devia ter contado a você sobre isso antes mesmo da primeira noite que passei aqui.

Jeremy tira a gilete da minha mão e põe a *nécessaire* de volta na bancada. Então me puxa para perto, com as mãos em minha cabeça, pousando-a em seu peito.

— Você é sonâmbula, Low — atesta, dando um beijo no topo da minha cabeça. — É sonâmbula. Não tem nada demais nisso.

Não tem nada demais nisso?

Dou uma risada, ainda encostada em seu peito.

— Adoraria que minha mãe também pensasse assim.

Quando Jeremy se afasta, seus olhos parecem preocupados. Mas será que está preocupado *comigo* ou *por minha causa*? Voltamos ao quarto, ele acena para que eu me sente na cama e começa a colocar as camisas da mala de volta nos cabides.

— Quer falar sobre isso? — pergunta.

— De qual parte exatamente?

— Por que sua mãe achava que era algo importante.

Não quero falar sobre isso. Jeremy deve ter percebido que minha expressão mudou. Ele para no meio do caminho ao pegar uma camisa. Coloca de volta na mala e vem se sentar na cama.

— Não quero parecer duro — diz Jeremy, me olhando firme —, mas tenho um filho. Se você está tão preocupada com o que é capaz de fazer, começa a *me* deixar preocupado também. Por que tem tanto medo de si mesma?

Uma pequena parte de mim quer se defender, mas não tem como. Não posso dizer que sou inofensiva porque não tenho certeza disso. Não posso dizer que nunca mais vou ter um ataque de sonambulismo. Acabou de acontecer, há vinte minutos. A única coisa que poderia alegar em minha defesa é que não sou tão horrível quanto sua mulher. Mas nem disso tenho mais certeza.

Não sou horrível *ainda*, mas não confio em mim mesma o suficiente para dizer que não serei no futuro.

Baixo os olhos e engulo em seco, pronta para contar tudo a ele. Meu pulso começa a latejar novamente. Quando o encaro, passo a mão pela cicatriz na palma.

— Não senti nada em meu pulso no momento em que aconteceu. Acordei numa manhã quando eu tinha 10 anos. Assim que abri os olhos senti uma dor horrível que ia do pulso até o ombro. Foi como se algo tivesse explodido dentro da minha cabeça. Comecei a gritar, doía muito. Minha mãe correu para o quarto e, embora estivesse sentindo a pior dor da minha vida, naquele momento só pensei que a porta do quarto estava destrancada. Eu tinha certeza de que tinha trancado à noite.

Paro de encarar minhas mãos e olho para Jeremy.

— Não me lembrava do que havia acontecido. Mas meu lençol estava coberto de sangue. E também o travesseiro, o cobertor, eu mesma. Tinha terra nos meus pés, como se eu tivesse ido ao jardim durante a noite. Não me lembrava nem de ter saído do quarto. A gente tinha câmeras de monitoramento na frente da casa e em alguns quartos. Mas antes de checar as fitas, minha mãe me levou ao hospital. O corte na minha mão precisava de pontos, e tive que fazer um raio-X do pulso. Quando voltamos para casa, pegamos a gravação do jardim e nos sentamos no sofá para assistir.

Pego um copo d'água no criado-mudo para minimizar a secura da garganta. Antes de continuar, Jeremy põe a mão em meu joelho, acariciando minha pele com o polegar. Olho para ele ao terminar a história.

— Às três da manhã, o vídeo mostra que estou andando lá fora, na varanda. Subo no gradil fino da varanda e fico lá. Foi isso que fiz primeiro. Simplesmente fiquei lá. Durante uma hora, Jeremy. A gente assistiu ao vídeo inteiro, esperando para ver se tinha algum problema na gravação, porque é impossível alguém manter o equilíbrio por tanto tempo. Não parecia nada natural. Eu não me movia nem falava. De repente... eu pulei. Devo ter machucado o pulso na queda, mas na gravação não tive nenhuma reação. Apoiei as mãos no chão para levantar e andei de volta para os degraus. Dá para ver o sangue pingando ao longo da varanda, mas eu não tinha qualquer expressão. Andei para o quarto e voltei a dormir.

Olho nos olhos dele.

— Não tenho nenhuma lembrança disso. Como posso causar tanta dor a mim mesma e não perceber? Como posso ficar em cima de uma grade por uma hora sem me desequilibrar? Aquele vídeo me assustou ainda mais que o machucado.

Ele me abraça novamente. Estou tão agradecida que o aperto com força.

— Minha mãe me mandou para uma avaliação psiquiátrica de duas semanas depois disso — conto, apoiada em seu peito. — Quando voltei para casa, ela havia se mudado para um quarto mais longe e instalou três fechaduras pelo lado de dentro. Minha própria mãe tinha medo de mim.

Jeremy afunda o rosto em meus cabelos e dá um longo suspiro.

— Sinto muito que isso tenha acontecido a você.

Fecho os olhos bem forte.

— E sinto muito que sua mãe não tenha lidado bem com a situação. Deve ter sido difícil para você.

Ele é exatamente do que preciso esta noite. Sua voz é calma e carinhosa, seus braços me protegem, sua presença me conforta.

Não quero que me solte. Não quero lembrar que acordei no quarto de Verity. Não quero pensar sobre quão pouco confiável minha mente é quando estou dormindo... ou até quando estou acordada.

— Podemos conversar mais sobre isso amanhã — diz ele, me soltando. — Vou tentar pensar em um jeito de deixar você mais confortável. Por enquanto, só tenta dormir um pouco, tá?

Ele segura minha mão com força e depois vai em direção à porta. Entro em pânico com a ideia de ficar sozinha aqui. Ou de voltar a dormir.

— O que faço pelo resto da noite? Tranco a porta?

Jeremy olha para o despertador. São quatro e cinquenta. Ele encara o relógio por um momento e volta para a cama.

— Deita — sugere, levantando as cobertas.

Eu me deito na cama e ele se aninha atrás de mim. Seus braços me envolvem, e fico com a cabeça embaixo de seu queixo.

— São quase cinco horas e eu não vou voltar a dormir. Mas posso ficar aqui até você cair no sono.

Ele não está se esfregando em mim nem me acariciando. Seu braço está completamente parado, como se ele quisesse deixar claro o que exatamente estamos fazendo na cama. Mas ainda que ele esteja claramente desconfortável, fico feliz com o esforço que faz para *me* confortar.

Tento fechar os olhos e dormir, mas só vejo a imagem de Verity. Só ouço o barulho de sua cama se movendo.

Já passa das seis quando ele acha que dormi. Move o braço e seus dedos acariciam meu cabelo por um momento. É muito rápido. É rápido também o beijo que ele dá na minha cabeça. Mas aquilo fica comigo por muito tempo depois de ele sair do quarto e fechar a porta.

14

Não consegui voltar a dormir. É por isso que ainda são oito da manhã e já estou na segunda xícara de café.

Parada em frente à pia, olho pela janela. Começou a chover por volta das cinco da manhã, quando eu estava na cama com Jeremy, fingindo dormir. Pela janela vejo o carro de April chegar pela estrada lamacenta. *Será que Jeremy vai contar a ela o que aconteceu?*

Ainda não o encontrei esta manhã. Imagino que esteja no segundo andar, onde normalmente fica até April chegar. Não quero estar na cozinha quando ela entrar, então levanto para ir até o escritório. Ao virar, esbarro em Jeremy, mas ele dá um passo para trás e segura meus ombros, evitando que eu derrame meu precioso café.

Ele parece cansado, mas não posso julgá-lo. A culpa é minha.

— Bom dia — diz, como se nada tivesse acontecido.

— Bom dia — respondo sussurrando. Não sei por quê.

Ele fica bem perto de mim e se aproxima, como se fosse me contar um segredo.

— O que acha de eu instalar uma fechadura na sua porta?

Fico confusa com a pergunta.

— Mas você já fez isso.

— Do *lado de fora* da porta — esclarece.

Ah...

— Posso trancar depois que você dormir. E abrir antes de você acordar. Se precisar sair, é só me mandar uma mensagem ou ligar, e eu vou correndo abrir. Acho que vai dormir melhor sabendo que não pode sair.

Não sei bem como me sinto. Por algum motivo isso parece mais drástico do que a fechadura de dentro, embora as duas sirvam exatamente para a mesma coisa: manter-me dentro do quarto. Ainda que a ideia me deixe desconfortável, seria mais desconfortável ainda saber que posso sair no meio da noite.

— Acho uma boa ideia. Obrigada.

April entra na casa e para ao passar pela cozinha. Jeremy ainda está olhando para mim e ignora a presença dela.

— Acho que você precisa tirar uma folga hoje — sugere.

Meu olhar vai de April para Jeremy.

— Prefiro me manter ocupada.

Ele me encara em silêncio por um momento antes de concordar.

— Bom dia — cumprimenta April, deixando os sapatos enlameados na porta.

— Bom dia, April — responde Jeremy naturalmente, como se não tivesse nada a esconder.

Ele passa por ela e vai em direção à porta dos fundos. Ela não se move e fica me analisando, com os óculos na ponta do nariz.

— Bom dia, April — digo, sem conseguir parecer tão inocente quanto Jeremy.

Sigo para o escritório de Verity para começar a trabalhar, embora não consiga tirar da cabeça o que aconteceu ontem à noite. Passo a manhã na internet, lendo meus e-mails. Corey me enviou alguns pedidos de entrevista, algo que nunca aconteceu antes. Muitas das perguntas são parecidas: querem saber por que Verity me contratou, de que forma pretendo contribuir com a série e como minha experiência anterior me levou a trabalhar para ela. Copio e colo várias das respostas.

Depois do almoço, meu foco é desenvolver um argumento para o sétimo livro. Já desisti de encontrar anotações, então vou começar o romance do zero. É ainda mais difícil porque estou exausta da noite passada. Estou inquieta. Mas tento não pensar muito no que aconteceu.

Já estamos no meio da tarde quando sinto cheiro de tacos. Abro um sorriso: sei que ele está fazendo porque pedi. Certamente vai guardar um prato para mim, como sempre faz. Não me sinto nada confortável em jantar com eles, com Verity sentada à mesa.

Fico um tempão pensando em Verity, imaginando por que ela me assusta tanto. Encaro a gaveta onde está guardado o manuscrito. *Só mais um capítulo e vou parar. É isso.*

Capítulo Seis

Já haviam passado seis meses desde que elas nasceram e eu ainda preferia que não existissem.

Mas elas existiam e Jeremy as amava. Então eu seguia tentando. Às vezes me perguntava se aquilo valia a pena. Às vezes queria arrumar minhas coisas e ir embora. Mas eu sabia que uma vida sem Jeremy não era o que eu queria. Então eu tinha duas opções:

1. Viver com ele e aquelas duas meninas que ele amava mais do que a mim.
2. Viver sem ele.

Àquela altura, não havia o que fazer. Elas estavam no pacote. Odiava a mim mesma por não ter usado nenhum método anticoncepcional, por ter achado que ficaria tudo bem. Não estava tudo bem. Não comigo, pelo menos. Era como se a minha família estivesse dentro de um globo de neve. Lá dentro era tudo aconchegante e perfeito, mas eu não fazia parte. Eu estava do lado de fora, olhando.

Nevava naquela noite, mas o apartamento estava quentinho. Mesmo assim, acordei com calafrios. Com uma *tremedeira,* na verdade. Não conseguia parar de tremer. Tive um pesadelo tão vívido que continuei sentindo seus efeitos por horas depois de acordar, como se fosse uma ressaca.

Sonhei com o futuro: meu, das meninas, de Jeremy. Elas tinham uns 8 ou 9 anos. Não tenho certeza, não entendo muito de crianças e seus tamanhos. Só me lembro de acordar com a *sensação* de que tinham 8 ou 9 anos.

No sonho, eu passava pelo quarto delas e dava uma espiada para dentro. Não entendia muito bem o que eu via. Harper estava em cima de Chastin, cobrindo sua cabeça com um travesseiro. Corri até lá com medo de que fosse tarde demais, tirei Harper e o travesseiro de cima da irmã. Ao olhar para Chastin, levei um susto.

Não havia nada ali. Seu rosto estava liso, como se fosse uma cabeça careca. Não havia cicatriz. Nem olhos. Ou boca. Nada que pudesse ser asfixiado.

Olhei para Harper, que me encarava com uma expressão sinistra.

— O que você *fez*?

E então eu acordei.

Não foi exatamente o sonho que me deixou tão abalada. Mas a sensação de que era uma premonição. Aquilo me afetou muito. Sentei na cama, segurando os joelhos e balançando para a frente e para trás, tentando entender o que era aquele sentimento. Dor. Era dor. Uma... *dor no coração.*

Eu senti meu coração doer no sonho? Quando achei que Chastin estava morta, minha vontade era cair de joelhos e chorar. É exatamente como me sinto quando penso na possibilidade de Jeremy morrer. Eu simplesmente pararia de funcionar.

Fiquei lá sentada chorando. Era um sentimento muito intenso. Será que finalmente tinha me conectado com elas? Com Chastin, pelo menos? Ser mãe era isso, esse sentimento? Amar alguma coisa de uma maneira tão intensa que a simples ideia de perdê-la causa dor física?

Foi o máximo de sentimento que experimentei desde que elas foram concebidas. Mesmo que fosse só por uma delas, acho que já contava.

Jeremy rolou pela cama, abriu os olhos e me viu sentada lá, segurando os joelhos.

— Você está bem?

Não queria que ele me perguntasse isso porque Jeremy era bom em desvendar meus pensamentos. A maioria deles, pelo menos. E não queria que ele desvendasse esse. Como eu poderia contar que finalmente amava uma de nossas filhas sem admitir que, desde o início, não gostava de nenhuma das duas?

Eu precisava fazer alguma coisa. Deixá-lo ocupado para que não fizesse mais perguntas. Pela minha experiência, ele não conseguiria tirar nada de mim se eu estivesse com seu pau na minha boca.

Engatinhei por cima dele e Jeremy já estava duro antes mesmo de eu começar. Fui com tudo para cima dele.

Adorava ouvi-lo gemer. Normalmente ele era silencioso, mas quando eu o pegava desprevenido, ele se soltava. Naquele momento, estava eufórico. Fiquei imaginando... quantas mulheres o fizeram gemer antes de mim? Quantos outros lábios já estiveram naquele pau?

Esperei ele sair da minha boca para perguntar.

— Quantas mulheres já chuparam seu pau?

Apoiado nos cotovelos, ele me olhou, chocado.

— É sério isso?

— Fiquei curiosa.

Ele riu, deitando no travesseiro.

— Sei lá. Nunca contei.

— Tantas assim? — provoquei.

Montei em cima dele. Ele se mexeu por baixo de mim e agarrou minhas coxas, o que eu adorava.

— Se demorou tanto a responder, devem ser mais do que cinco.

— Com certeza foram mais de cinco — disse ele.

— Mais de dez?

— Talvez. Acho que sim. *Sim.*

É muito louco que *aquilo* não me deixasse com ciúmes, mas duas crianças me tirassem do sério. Talvez fosse porque as meninas estavam na vida dele *agora*, enquanto todas essas outras vagabundas... estavam no passado.

— Mais de *vinte*?

Ele levantou as mãos e agarrou meus seios. Pela sua cara, estava prestes a meter em mim. Com força.

— Acho que é uma boa estimativa — sussurrou, me puxando para perto.

Ele aproximou seus lábios dos meus e desceu uma das mãos, me acariciando lá embaixo.

— E quantos caras já te chuparam?

— Dois. Não sou promíscua igual a você.

Ele riu, ainda com os lábios grudados aos meus, e me deitou na cama.

— Mas você está apaixonada por um promíscuo.

— *Ex*-promíscuo. — Deixei claro.

Eu estava enganada a respeito da cara dele antes. Ele não meteu com força naquela noite. Ele fez amor comigo. Beijou cada centímetro do meu corpo. Ele me fez permanecer deitada enquanto me provocava e torturava, quando tudo que eu queria era chupar seu pau. Toda vez que eu tentava me mexer e tomar a frente, ele me impedia.

Não sei por que sentia tanto prazer em satisfazê-lo. Mas era ainda melhor do que quando ele me satisfazia. Deve ter alguma definição para isso na "linguagem do amor", ou seja lá a bobagem que chamem. Minha linguagem de amor era servir. A de Jeremy era ter alguém chupando seu pau. Nós éramos uma combinação perfeita.

Ele estava prestes a gozar quando uma das meninas começou a chorar. Ele resmungou, eu revirei os olhos e ambos fomos pegar a babá eletrônica. Jeremy queria olhar o que tinha acontecido. Eu queria desligá-la.

Ele já começava a amolecer dentro de mim, então tirei o aparelho da tomada. Ainda dava para ouvir o choro no fim do corredor, mas certamente eu conseguiria abafá-lo se continuássemos de onde paramos.

— Vou lá checar — disse ele, tentando se afastar.

Puxei-o para perto e fiquei por cima.

— Deixa que eu vou... assim que você gozar. Deixe as duas chorarem um pouquinho. Faz bem.

Jeremy não ficou muito feliz com a ideia, mas, assim que coloquei seu pau na boca de novo, ele aceitou.

Ficou bem mais fácil engolir depois daquela primeira vez que tentei. Senti que ele estava prestes a gozar, então fingi que estava engasgada. Não sei por quê, mas aquilo sempre o deixava animado, achar que eu estava engasgando com seu pau. *Homens.* Ele gemeu, eu o coloquei ainda mais fundo na garganta, e então terminou. Engoli, limpei a boca e levantei.

— Pode dormir. Eu resolvo isso.

Eu realmente *queria* resolver desta vez. Era a primeira vez que a necessidade de amamentá-las me fazia sentir alguma coisa além de irritação. Queria amamentar Chastin. Queria abraçá-la, fazer carinho, dar amor. Estava animada enquanto ia até o quarto.

Mas a animação foi toda embora quando entrei e vi que era Harper quem estava chorando.

Que decepção.

Os berços eram colados e, surpreendentemente, Chastin estava dormindo, apesar dos gritos de Harper. Passei por ela e fui até Chastin.

Sentia tanto amor por ela naquele momento que até doía. Sentia tanta vontade que Harper calasse a boca que também doía.

Tirei Chastin do berço e a levei até a cadeira de balanço. Quando sentei, ela se aninhou em meus braços. Eu me lembrei do sonho e de como fiquei apavorada ao ver Harper tentando machucá-la. Estava prestes a chorar só de pensar em perdê-la. Só de pensar que aquele sonho pudesse se tornar real.

Talvez aquilo fosse intuição de mãe. Talvez, no fundo, eu soubesse que algo horrível aconteceria a Chastin, e é por isso que estava sentindo aquele amor tão repentino e intenso. E se aquela tivesse sido a maneira que o universo encontrou para me fazer amar aquela garotinha, já que eu não a teria por perto por tanto tempo quanto Harper?

Talvez por isso eu não sentia nada por Harper. Porque Chastin teria a vida interrompida muito cedo. Ela ia morrer, e então Harper ficaria sendo a única. Eu sabia que, em algum lugar dentro de mim, estava escondendo o amor por Harper. Guardando-o para depois que Chastin tivesse partido.

Já estava ficando com dor de cabeça com a gritaria de Harper, então fechei os olhos bem apertados. *Cala a porra da boca! Não para de chorar, chorar, chorar. Estou tentando criar um laço com meu bebê aqui.*

Tentei ignorá-la por mais alguns minutos, mas tive medo de que Jeremy ficasse preocupado. Acabei colocando Chastin de volta no berço, e ela surpreendentemente continuava dormindo. *É uma criança ótima mesmo.* Fui até o berço de Harper e a olhei, cheia de raiva. Parecia que, de alguma forma, o sonho era culpa dela.

Talvez eu estivesse interpretando o sonho errado. Talvez não fosse uma premonição. Talvez fosse um *aviso*. Se eu não fizesse nada a respeito do comportamento de Harper, Chastin morreria.

De repente senti uma necessidade incontrolável de evitar aquilo que eu sabia que estava para acontecer. Nunca antes eu tive um sonho tão real. Se não fizesse nada a respeito, ele ia se tornar realidade. Pela primeira vez, não podia suportar a ideia de perder Chastin. Doía quase como a ideia de perder Jeremy.

Não sabia nada sobre matar alguém, muito menos uma criança. Da única vez que tentei, o máximo que consegui foi uma cicatriz. Mas já tinha ouvido falar da Síndrome da Morte Súbita Infantil. Jeremy me obrigou a ler sobre isso. Sei que não é incomum de acontecer, mas não tinha informações suficientes para saber se poderiam diferenciar sufocamento intencional e SMSI.

Mas já ouvi falar de pessoas que morreram dormindo sufocadas em seu próprio vômito. Esse caso seria mais difícil de apontar como intencional.

Coloquei os dedos nos lábios de Harper. Ela moveu a cabeça para a frente e para trás, achando que era uma mamadeira. Começou a sugar a ponta do meu dedo, mas não ficou satisfeita. Largou o dedo e começou a gritar novamente. Chutava e se debatia. Enfiei o dedo mais fundo em sua boca.

Ela continuava chorando, então continuei enfiando o dedo. Fez um som como se tivesse engasgado, mas ainda assim continuava chorando. *Talvez um dedo só não seja suficiente.*

Enfiei os dois dedos em sua boca, indo até a garganta, até que minhas articulações estivessem tocando sua gengiva. Ela não estava mais chorando. Fiquei olhando por um momento, e logo seus braços começaram a se contrair a cada espasmo violento de seu corpo. Suas pernas estavam crispadas.

Ela teria feito o mesmo à irmã se eu não estivesse fazendo isso agora. Estou salvando a vida de Chastin.

— Ela está bem? — perguntou Jeremy.

Droga. Droga, droga, droga.

Tirei os dedos da boca de Harper e a peguei no colo rapidamente, colocando seu rosto em meu peito para que Jeremy não percebesse sua falta de ar.

— Não sei — respondi, virando-me para ele. Jeremy vinha em minha direção. Minha voz soava alucinada. — Não consigo deixá-la feliz. Já tentei de tudo — disse, fazendo carinho na cabeça dela, tentando demonstrar preocupação.

Foi então que ela vomitou em mim. E, assim que vomitou, gritou. *Berrou*. A voz estava rouca, e ela engasgava a cada grito. Foi um tipo de choro que nunca tínhamos ouvido antes. Jeremy rapidamente a tirou de mim e tentou acalmá-la.

Ele nem ligou que ela tivesse vomitado em mim. Nem olhou para mim. Estava muito preocupado, com as sobrancelhas arregaladas e a testa franzida. Aquela preocupação toda não era para mim. Era tudo para Harper.

Prendi a respiração e fui até o banheiro sem querer sentir aquele cheiro. Era o que eu mais odiava na maternidade. Aquela *merda* daquele vômito todo em cima de mim.

Enquanto estava no banheiro, Jeremy preparou uma mamadeira para Harper. Quando saí do banho, ela já tinha voltado a dormir e ele estava na nossa cama ligando o vídeo da babá eletrônica novamente.

Congelei ao deitar na cama. Dei uma olhada no vídeo, uma imagem perfeita dos berços de Harper e Chastin.

Como foi que eu me esqueci da droga da babá eletrônica?

Se ele tivesse visto o que eu estava fazendo com Harper, terminaria comigo na hora.

Como fui tão relapsa?

Dormi muito pouco naquela noite, imaginando o que Jeremy teria feito se tivesse me flagrado tentando salvar Chastin da irmã.

15

Meu Deus! Meu corpo se contorce todo na cadeira e levo a mão ao estômago.

— Por favor... por favor — digo, em voz alta. Embora não saiba muito bem por que ou com quem estou falando.

Preciso ir embora desta casa. Não consigo respirar. Deveria sentar um pouco lá fora para tentar clarear as ideias e tirar da cabeça tudo o que acabei de ler.

Toda vez que leio o manuscrito, sinto cólicas, de tanto que meu estômago se revira. Dei uma folheada em outros capítulos depois do quinto, mas nenhum era tão horripilante quanto este em que ela detalha a tentativa de sufocar a filha.

Nos capítulos seguintes, ela basicamente só fala de Jeremy e Chastin e raramente menciona Harper, o que vai ficando cada vez mais perturbador. Verity escreve sobre o dia em que Chastin fez um ano, sobre o dia em que Chastin passou a noite na casa da mãe de Jeremy pela primeira vez, aos 2 anos. Tudo o que, no início do manuscrito, começava com "as gêmeas" acabou virando apenas sobre Chastin. Se eu não soubesse da história, imaginaria que algo tinha acontecido a Harper bem antes do que realmente aconteceu.

É só quando as meninas completam 3 anos que ela passa a escrever sobre as duas de novo. Mas assim que começo este capítulo ouço uma batida forte à porta.

Abro a gaveta da escrivaninha e escondo o manuscrito ali.

— Pode entrar.

Quando ele abre a porta, estou com uma mão no mouse e a outra casualmente no colo.

— Preparei tacos.

Dou um sorriso para ele.

— Já está na hora de comer?

Ele ri.

— Já passa das dez.

Olho o relógio do computador. Como é que perdi a noção do tempo assim? *Acho que é o que acontece quando se está lendo sobre uma mulher psicopata que violenta as filhas.*

— Pensei que eram umas oito da noite.

— Você está aqui dentro há doze horas — comenta ele. — Tire uma folguinha. Tem uma chuva de meteoros hoje. Você precisa comer e eu fiz margarita.

Margaritas e tacos. *Já me convenceu.*

***

Jantei na varanda dos fundos e nos sentamos nas cadeiras de balanço para assistir à chuva de meteoros. Não havia muitos no começo, mas agora passa pelo menos um a cada minuto.

Em algum momento, saí da varanda e fui para o jardim. Estou deitada na grama, olhando para o céu. Jeremy finalmente se rende e vem deitar ao meu lado.

— Tinha me esquecido de como era o céu — sussurro. — Estou há muito tempo vivendo em Manhattan.

— Foi por isso que saí de Nova York — responde Jeremy.

Ele aponta para a esquerda, onde está a cauda do meteoro. Ficamos olhando até ele desaparecer.

— Quando você e Verity compraram esta casa?

— Quando as meninas tinham 3 anos. Os primeiros dois livros de Verity tinham sido lançados e estavam indo muito bem, então decidimos dar esse passo.

— E por que em Vermont? Algum de vocês tem família aqui?

— Não. Meu pai morreu quando eu era adolescente e minha mãe morreu há três anos. Mas eu cresci no estado de Nova York, numa fazenda de alpacas, acredite se quiser.

Dou uma risada e olho para ele.

— Sério? Alpacas?

Ele concorda com a cabeça.

— E como é exatamente que se ganha dinheiro criando alpacas?

Ele ri com a pergunta.

— Não se ganha. É por isso que fui estudar administração e comecei a trabalhar no ramo imobiliário. Não queria cuidar de uma fazenda cheia de dívidas.

— Pretende voltar a trabalhar em breve?

A pergunta o faz hesitar um pouco.

— Eu gostaria. Tenho esperado o momento certo, para que não seja uma mudança muito radical para Crew. Mas o momento certo nunca surge.

Se nós fôssemos amigos, eu faria algo agora para confortá-lo. Talvez segurar sua mão. Mas uma parte muito grande de mim quer que sejamos mais que amigos, o que significa que não dá para ter nenhuma amizade. Se há atração entre duas pessoas, só há duas opções: elas se envolverem ou não. Não tem meio-termo.

E como ele é casado... Mantenho a mão no meu peito e não o toco.

— E os pais de Verity? — Tento manter a conversa para ele não perceber o quanto minha respiração fica exagerada ao lado dele.

Jeremy levanta as mãos fazendo um gesto de "não sei".

— Eu mal os conheço. Eles já não eram muito presentes antes de cortarem relações com Verity.

— Eles cortaram relações com ela? Por quê?

— É difícil explicar. Eles são estranhos. Victor e Marjorie são muito religiosos. Quando descobriram que Verity estava escrevendo livros de suspense, foi como se ela estivesse ofendendo a religião deles e participando de um culto satânico. Disseram que nunca mais falariam com ela se não parasse.

Inacreditável. Que... frieza. Por um segundo me solidarizo com Verity e consigo entender de onde ela herdou essa falta de instinto materno. Mas minha solidariedade vai embora assim que me lembro do que ela fez com Harper no berço.

— E há quanto tempo não se falam?

— Deixa eu pensar... — diz Jeremy. — Ela escreveu o primeiro livro há mais de uma década. Então é isso, mais de dez anos.

— E não voltaram a falar com ela? Nem sabem de tudo o que aconteceu?

Jeremy concorda com a cabeça.

— Liguei para eles quando Chastin morreu. Deixei uma mensagem na caixa postal. Nunca ligaram de volta. Aí, quando Verity sofreu o acidente, o pai enfim atendeu o telefone. Contei o que havia acontecido, com ela e com as meninas. Ele ficou em silêncio. Então disse: "Deus castiga os pecadores, Jeremy." Desliguei na cara dele. Nunca mais falei com nenhum dos dois.

Levo a mão ao coração e olho para o céu, incrédula.

— Uau.

— Pois é — sussurra ele.

Ficamos em silêncio por um tempo. Vemos dois meteoros, um indo em direção ao sul, outro para o leste. Jeremy aponta para os dois, mas não diz nada. Quando há um intervalo tanto nos meteoros quanto na conversa, Jeremy se apoia no cotovelo e olha para mim.

— Acha que devo colocar Crew na terapia novamente?

Viro a cabeça para encará-lo. Estamos a uns 30 centímetros de distância nessa posição. No máximo uns 40. É tão perto que sinto o calor do corpo dele.

— Acho que sim.

Ele parece valorizar minha honestidade.

— Tá bem — responde, mas não volta a se deitar na grama. Fica me olhando, querendo fazer outra pergunta. — Você fez terapia?

— Fiz, e foi a melhor coisa que aconteceu comigo. — Olho de volta para o céu, sem querer ver sua expressão depois da minha próxima resposta. — Depois de assistir ao vídeo em que eu estava na varanda, fiquei preocupada que, no fundo, eu estivesse querendo morrer. Por várias semanas eu me negava a dormir. Tinha medo de me machucar de propósito. Mas o terapeuta me ajudou a ver que sonambulismo não tem a ver com intenção. Depois de muitos anos, finalmente acreditei nisso.

— Sua mãe ia à terapia com você?

Eu rio.

— Não. Ela não queria falar comigo sobre a terapia. Alguma coisa aconteceu na noite em que eu quebrei o pulso. Ela mudou. Ou, pelo menos, mudou nossa relação. Depois daquilo, sempre me senti desconectada dela. Minha mãe me lembra muito a... — Paro de falar porque estava prestes a dizer *Verity*.

— Lembra muito quem?

— A protagonista da série de Verity.

— É tão ruim assim?

Rio de novo.

— Você não leu nenhum deles mesmo?

Ele deita de volta na grama, quebrando o contato visual.

— Só li o primeiro.

— E por que parou?

— Porque... era difícil para mim compreender que aquilo tudo saía da cabeça dela.

Tenho vontade de dizer que ele está certo em se preocupar, porque os pensamentos da sua mulher são assustadoramente parecidos com os da personagem. Mas a essa altura do campeonato, não quero que ele tenha essa visão da mulher. Depois de tudo o que aconteceu, Jeremy merece pelo menos preservar as boas memórias do casamento.

— Ela ficava muito irritada comigo porque eu não lia os manuscritos. Verity precisava da minha aprovação, embora já tivesse aprovação de todo o resto do mundo. Os leitores, a editora, os críticos. Mas, por algum motivo, a minha aprovação parecia ser a única que ela queria.

Porque ela era obcecada por você.

— E você, como consegue a aprovação de que precisa?

Viro a cabeça para ele novamente.

— Não consigo, na verdade. Meus livros não são populares. Quando recebo uma crítica positiva ou um e-mail de um fã, não sinto que estejam falando comigo. Talvez porque eu seja muito reclusa e nunca faça sessões de autógrafo. Não me exponho. Então, mesmo que haja leitores que amam meus livros, até hoje nunca passei pela experiência de ouvir que o que eu faço tem importância para alguém. — Solto um suspiro. — Imagino que seria uma sensação boa. Alguém olhar nos meus olhos e dizer: "Sua escrita é importante pra mim, Lowen."

Assim que termino essa frase, um meteoro cruza o céu. Acompanhamos sua trajetória e ele termina bem na água, refletindo no lago. Olho para a água emoldurando a cabeça de Jeremy.

— Quando vai começar a construir o novo deque? — pergunto. Ele terminou de derrubar o antigo hoje.

— Não vou fazer um novo — esclarece. — Só estava de saco cheio de olhar para aquele.

Tenho vontade de pedir que explique melhor, mas ele não parece disposto.

Jeremy está me olhando. Trocamos bastantes olhares esta noite, mas agora parece diferente. Mais intenso. Percebo que seu olhar desvia para meus lábios. Ele quer me beijar. Se ele tentasse, eu não resistiria. Acho que nem me sentiria culpada.

Ele dá um longo suspiro, deixa a cabeça cair para trás, de volta na grama, e olha para as estrelas.

— No que está pensando? — pergunto baixinho.

— Estou pensando que está tarde. E está na hora de trancar você no quarto.

Dou risada daquela escolha de palavras. Ou talvez a risada seja porque tomei duas margaritas. De qualquer maneira, minha risada o faz rir também. E aquilo que quase virou um momento do qual ele se arrependeria acabou se tornando um momento de alívio.

Vou ao escritório e pego meu laptop para trabalhar no quarto depois que ele for dormir. Enquanto ele apaga as luzes da cozinha, abro a gaveta e pego algumas páginas do manuscrito. Coloco-as entre o laptop e meu peito.

Eu ainda não tinha visto a nova fechadura do lado de fora da porta. Não quero examinar muito porque, se houver um jeito de abrir por dentro, meu inconsciente vai lembrar e eu posso conseguir sair.

Entro no quarto e deixo as coisas na cama. Jeremy está atrás de mim.

— Tudo o que você precisa está aí? — pergunta, no batente da porta.

— Está sim. — Ando até a porta para trancá-la por dentro também.

— Tudo certo, então. Boa noite.

— Tudo certo — repito com um sorriso. — Boa noite.

Começo a fechar a porta, mas ele põe a mão na fresta, me impedindo de fechar até o fim. Abro a porta novamente e, naquela fração de segundo que quase a fechei, sua expressão mudou completamente.

— Low — diz ele, em voz baixa. Inclina a cabeça pela fresta da porta e olha para mim. —, eu menti pra você.

Tento não parecer preocupada, mas estou. Suas palavras percorrem minha espinha e começo a pensar em todas as conversas desta noite, e as anteriores também.

— Mentiu sobre o quê?

— Verity nunca leu seu livro.

Quero dar um passo para trás, no escuro, assim talvez ele não veja minha cara de decepção. Mas fico ali, segurando a maçaneta com força.

— E por que me disse isso se não era verdade?

Ele fecha os olhos e inspira por um momento. Quando os abre, ajeita a postura ao expirar. Levanta as mãos e segura a porta.

— Eu li seu livro. E é muito bom. Fenomenal. E foi por isso que sugeri seu nome para a editora. — Ele baixa um pouco a cabeça, olhando em meus olhos. — Sua escrita é importante para mim, Lowen.

Ele abaixa os braços, pega a maçaneta e fecha a porta. Ouço-o trancar a fechadura antes de subir a escada. E eu me deixo cair na porta, com a testa encostada na madeira.

E sorrio porque, pela primeira vez na minha carreira, alguém além do meu agente me deu aquele tipo de aprovação.

Deito na cama e me aninho com o capítulo que trouxe do manuscrito. Jeremy me deixou tão bem agora que nem me importo de ficar um pouco perturbada com sua mulher antes de dormir.

Capítulo Nove

Frango com dumplings.

Foi a quinta refeição que preparei depois de duas semanas morando na casa nova.

Foi a única refeição que Jeremy jogou na parede na sala de jantar.

Eu tinha percebido havia dias que ele estava irritado comigo. Só não sabia por quê. Ainda estávamos transando quase todo dia, mas até o sexo estava diferente. Como se ele estivesse desconectado. Transava comigo porque essa era a rotina, não porque estava com tesão.

Foi por isso que decidi fazer os malditos dumplings. Estava tentando ser legal e cozinhar um dos pratos favoritos dele. Jeremy estava com dificuldades de se adaptar ao novo emprego. Para piorar, estava chateado comigo por ter colocado as meninas na creche sem consultá-lo.

Quando morávamos em Nova York, contratamos uma babá assim que meus livros começaram a vender bem. Ela chegava de manhã, na hora que Jeremy saía para trabalhar, e eu conseguia me recolher no escritório e escrever todos os dias. Na hora que Jeremy chegava, ela ia embora, eu saía do escritório e fazíamos o jantar juntos.

Era um ótimo esquema. Eu nunca precisava cuidar delas quando Jeremy não estava por perto. A babá cuidava. Mas aqui na casa nova, no meio do nada, é difícil arranjar uma babá. Tentei cuidar das crianças nos primeiros dois dias, mas fiquei exausta e não consegui escrever uma linha. Então, na semana passada, eu estava tão farta daquilo que dirigi até a cidade e as matriculei na primeira creche que encontrei.

Sabia que Jeremy não ia gostar, mas ele percebeu que era preciso fazer alguma coisa se quiséssemos continuar trabalhando. Eu era mais bem-sucedida do que ele, então se alguém fosse parar de trabalhar para ficar em casa cuidando delas, não seria eu.

Mas não foi a ida das meninas para a creche que o incomodou. Aparentemente ele até gostava que elas interagissem com outras crianças. Jeremy estava preocupado porque, alguns meses antes, havíamos descoberto que Chastin tinha uma alergia grave a amendoim. Ele não queria que mais ninguém tomasse conta dela além de nós. Tinha medo de que o pessoal da creche fosse descuidado. Mas Chastin era a criança de quem eu realmente *gostava*. Eu não era idiota. É claro que avisei a eles sobre a alergia.

Não importava o que o havia deixado irritado comigo, eu tinha certeza de que uma tigela de dumplings e uma boa trepada resolveriam.

Comecei a fazer o jantar tarde de propósito, para que as meninas estivessem dormindo quando fôssemos comer. Elas só tinham 3 anos, então, com sorte, já estariam na cama às sete. Eram quase oito horas quando pus a mesa e chamei Jeremy para comer.

Tentei deixar tudo o mais romântico possível, mas é difícil ser sexy com frango e dumplings à sua volta. Acendi velas na mesa e coloquei uma música nas caixas de som sem fio. Estava vestida, mas com uma lingerie bonita por baixo, algo que eu não fazia com frequência.

Tentei puxar conversa enquanto comíamos.

— Acho que Chastin já aprendeu a usar o penico — contei. — Estão treinando com ela na creche.

— Que bom — respondeu Jeremy, olhando o celular com uma das mãos e comendo com a outra.

Esperei um momento para ver se ele ia largar o celular. Como ele não largou, eu me ajeitei na cadeira e tentei chamar sua atenção mais uma vez. Sabia que seu assunto favorito eram as meninas.

— Quando busquei as meninas hoje, a professora disse que ela aprendeu sete cores esta semana.

— Quem? — perguntou, finalmente olhando para mim.

— Chastin.

Ele me encarou, deixou o celular na mesa e comeu mais uma garfada.

Qual é o problema com ele?

Dava para ver a raiva que ele estava tentando conter, e aquilo me deixou nervosa. Jeremy nunca se irritava e, quando acontecia, eu sabia os motivos. Agora era diferente. Aquilo era inesperado.

Não estava aguentando mais. Recostei na cadeira e deixei o guardanapo sobre a mesa.

— Por que está com raiva de mim?

— Não estou com raiva — respondeu muito rápido.

Dei uma risada.

— Você é patético.

Ele semicerrou os olhos e inclinou a cabeça.

— Como é que é?

Eu me inclinei para a frente.

— É só me *dizer*, Jeremy. Para com essa merda de ficar me dando gelo. Seja homem e me diga qual é o problema.

Ele cerrou o punho e depois soltou. Então levantou e jogou a tigela longe, na parede. Nunca o tinha visto perder a cabeça assim. Fiquei congelada, de olhos arregalados, e ele saiu da cozinha como um furacão.

Eu o ouvi bater forte a porta do quarto. Olhei para aquela sujeira e sabia que teria que limpar aquilo depois que fizéssemos as pazes, para que ele visse o quanto eu gostava dele. *Ainda que ele estivesse agindo como um babaca.*

Encaixei a cadeira embaixo da mesa e fui até o quarto. Ele estava andando de um lado para o outro. Quando fechei a porta, ele me olhou. Estava claramente tentando colocar as palavras em ordem, tudo o que queria me dizer. Eu estava me sentindo mal por deixá-lo irritado, mesmo com raiva dele por ter jogado na parede a comida que tive tanto trabalho para fazer.

— É sempre assim, Verity — começou dizendo. — Você fala sobre ela *o tempo inteiro*. E nunca fala sobre Harper. Nunca me conta o que Harper aprendeu na escola, ou se está usando o penico, nem menciona as coisas fofinhas que ela disse. É só Chastin o tempo inteiro, todos os dias.

Merda. Mesmo tentando disfarçar, ele percebe.

— Não é verdade — respondi.

— *É* verdade. E eu tenho tentado ficar quieto, mas elas estão crescendo. Harper vai perceber que você a trata de modo diferente. Não é justo com ela.

Não sabia muito bem como sair daquela situação. Poderia ter ficado na defensiva, ou o acusado de alguma coisa que eu não gostava. Mas eu sabia que ele estava certo, então precisava achar um jeito de fazê-lo pensar que estava errado. Por sorte, ele virou de costas, o que me deu um momento para pensar. Olhei para cima, como se estivesse pedindo conselho para Deus. *Deixe de ser idiota. Deus não vai te tirar dessa.*

Andei até ele com cuidado.

— Amor, não é que eu goste mais da Chastin. É que... ela é mais inteligente do que a Harper. Então acaba conseguindo alcançar as coisas primeiro.

Ele se voltou para mim, ainda com mais raiva do que antes de eu abrir a boca.

— Chastin não é mais inteligente do que a Harper. Elas são diferentes. Mas a Harper é muito inteligente.

— Eu sei — disse, dando mais um passo em sua direção. Mantive minha voz baixa. Gentil. Serena. — Não quis dizer isso. O que eu quis dizer é que... é mais fácil para mim reagir ao que Chastin faz porque ela gosta disso. Ela é animada, como eu. Harper não é. Passo segurança para ela de forma silenciosa. Não faço um escândalo. Ela é mais parecida com você nesse sentido.

Ele estava com um olhar firme, mas tenho quase certeza de que estava acreditando em mim, então continuei aquele papo furado.

— Tento não pressionar Harper quando ela está na dela, então, sim, acabo falando mais sobre Chastin. Às vezes foco nela um pouco mais. Mas é só porque percebo que elas são duas crianças diferentes, com necessidades diferentes. Preciso ser uma mãe diferente para cada uma.

Eu era muito boa em inventar essas baboseiras. Foi por isso que virei escritora.

A raiva de Jeremy aos poucos foi se dissipando. Seu maxilar já não estava tão tenso enquanto ele passava a mão pelos cabelos, absorvendo o que eu tinha acabado de falar.

— Eu me preocupo com Harper — disse ele. — Mais do que eu deveria, provavelmente. Mas não acho que tratá-las de modo diferente seja o caminho certo. Ela pode notar a diferença.

Um mês atrás, uma das funcionárias da creche me falou sobre estar preocupada com Harper. Foi só naquele momento — quando Jeremy disse que estava preocupado — que me lembrei de contar isso a ele. Ela achava que devíamos levá-la para fazer um exame para avaliar Síndrome de Asperger. Eu tinha me esquecido completamente disso até aquela briga. E graças a Deus me lembrei, porque era um jeito perfeito de embasar minha defesa.

— Eu não ia dizer nada para não te deixar angustiado — disse a ele —, mas uma das funcionárias da creche disse que acha que deveríamos fazer um exame de Asperger.

A preocupação de Jeremy visivelmente quadruplicou naquele momento. Tentei minimizar logo.

— Já liguei para um especialista. — *Vou ter que ligar amanhã.* — Vão me ligar de volta quando tiverem um horário.

Jeremy pegou o celular, focado agora naquele possível diagnóstico.

— Eles acham que Harper está no espectro autista?

Peguei o aparelho das mãos dele.

— Não. Não comece a se preocupar antes da hora. Aguarde a consulta. Vamos falar com o especialista primeiro. A internet não é o lugar para buscar respostas sobre nossa filha.

Ele concordou com a cabeça e me puxou para dar um abraço.

— Me desculpe — disse, sussurrando no meu ouvido. — Foi uma semana de merda. Perdi um cliente importante no trabalho hoje.

— Você não precisa trabalhar, Jeremy. Eu ganho dinheiro suficiente para você poder ficar em casa com as meninas, se preferir assim.

— Acho que eu ficaria maluco sem trabalhar.

— Talvez, mas vai ser bem caro colocar três crianças na creche.

— A gente paga... — Ele parou, dando um passo para trás. — Espera aí, você disse *três*?

Concordei com a cabeça. Claro que eu estava mentindo, mas queria acabar com a tensão da noite. Queria que ele ficasse feliz. E ele ficou tão feliz quando eu disse que estava grávida novamente.

— Tem certeza? Pensei que você não queria mais filhos.

— Fui descuidada com a pílula umas semanas atrás. Ainda está muito no começo. Descobri hoje de manhã. — Sorri. Depois abri um sorriso ainda maior.

— Você está feliz?

— Claro que estou. Você não está?

Ele deu uma risada, depois me beijou e então *tudo voltou ao normal. Graças a Deus.*

Segurei forte sua camisa e o beijei com todo o meu desejo, na tentativa que ele esquecesse completamente a briga que tivemos. Pelo meu beijo ele percebeu que eu queria mais do que beijá-lo. Tirou minha camisa e depois a própria camisa. Ele me beijou enquanto me botava na cama. Quando tirou minha calça, viu a calcinha e o sutiã especiais que eu tinha vestido para ele.

— Está usando uma lingerie diferente? — perguntou e começou a beijar o meu pescoço. — E ainda fez meu prato favorito — disse, decepcionado. Não tinha entendido muito bem a decepção, até que ele me olhou e acariciou meus cabelos. — Me desculpe, Verity. Você queria que esta noite fosse especial e eu estraguei tudo.

Ele não entende que a noite nunca estará estragada se no fim ele *me* ama. Se está focado em *mim*.

Balancei a cabeça.

— Não estragou nada.

— Estraguei, sim. Joguei a comida longe, gritei com você. — Ele chegou a boca perto da minha. — Vou compensar.

E compensou mesmo. Ele me penetrou devagar, me beijando o tempo inteiro e chupando meus mamilos. Se eu tivesse amamentado, ele ia curtir meus seios tanto assim?

Duvido. Mesmo depois das gêmeas, meu corpo continuava quase perfeito. Tirando a cicatriz no abdômen, todas as partes principais do corpo estavam intactas. E ainda bem firmes. E o templo de Jeremy entre as minhas pernas continuava ótimo e apertadinho.

Quando eu estava quase no clímax, ele saiu de dentro de mim.

— Quero sentir seu gosto — disse, descendo pelo meu corpo até que sua língua estivesse me explorando lá embaixo.

Claro que quer sentir meu gosto, pensei. *Mantive tudo intacto para você aí embaixo. De nada.*

Ficou ali entre minhas pernas até eu gozar. Duas vezes. Quando começou a subir de volta, parou em minha barriga e deu um beijo ali. Logo já estava dentro de mim novamente, a boca colada na minha.

— Eu te amo — sussurrou, em meio aos beijos. — Obrigado.

Estava me agradecendo por estar grávida.

Ele fez amor comigo de um jeito tão cuidadoso, com tanta ternura. Valia a pena fingir uma gravidez só para ele transar comigo daquele jeito novamente, para resgatar nossa conexão.

Se teve uma coisa boa que essas meninas trouxeram às nossas vidas, foi esta: Jeremy parecia me amar ainda mais quando eu estava grávida. Agora que ele achava que teríamos um terceiro filho, dava para sentir o amor se multiplicando mais uma vez.

Uma pequena parte de mim estava preocupada com essa gravidez falsa, mas eu sabia que teria opções caso não ficasse grávida de verdade naquela semana. Abortos são tão fáceis de fingir quanto uma gravidez.

16

Passei mais uma semana lendo o manuscrito de Verity e estou entediada. Está ficando meio repetitivo. Um monte de capítulos cheios de cenas de sexo detalhadas com Jeremy. Muito pouco sobre os filhos. Ela escreveu só dois parágrafos sobre o nascimento de Crew, mas depois passou páginas falando sobre a primeira vez que conseguiram transar depois que ele nasceu.

Cheguei ao ponto de ficar com ciúmes. Não gosto de ler sobre a vida sexual de Jeremy. Dei uma folheada em um capítulo hoje de manhã, mas finalmente larguei o manuscrito e voltei a trabalhar. Terminei o argumento para o primeiro livro hoje e mandei para Corey. Ele disse que enviaria para a editora da Pantem, já que não tinha lido os outros livros de Verity e não saberia dizer se o argumento era bom o suficiente. Não quero começar o argumento do segundo antes de me responderem. Se quiserem um monte de mudanças, vai ser trabalho desperdiçado.

Já estou aqui há quase duas semanas. Corey disse que eles enviaram meu adiantamento, e que deve cair na minha conta a qualquer instante. Assim que eu receber a resposta da Pantem, provavelmente vai ser o momento certo para ir embora. Já vasculhei tudo o que há no escritório de Verity. Já teria ido embora faz tempo se eu tivesse outro lugar para ir.

Estou empacada hoje. Exausta de tanto trabalho nas últimas duas semanas. Poderia continuar na autobiografia de Verity, mas não estou muito no clima de ler sobre as diferentes maneiras de chupar o pau do marido.

Sinto falta de ver televisão. Nem coloquei o pé na sala de estar desde que cheguei aqui, há duas semanas. Deixo o confinamento do escritório, preparo um balde de pipoca, sento no sofá da sala e ligo a TV. Mereço desfrutar de um pouquinho de preguiça. Afinal de contas, amanhã é meu aniversário. Mas não pretendo dizer isso a Jeremy.

Olho toda hora para o topo da escada, pois a visão é perfeita aqui do sofá, mas Jeremy não aparece. Não o tenho visto muito nos últimos dias. Acho que ambos sabemos o quão perto estávamos de um beijo naquela noite, e o quão inapropriado isso seria, então estamos nos evitando.

Ligo a TV no canal de decoração e me ajeito no sofá. Assisto a uns quinze minutos de um programa de reforma de casas quando finalmente ouço Jeremy descendo as escadas. Ele para no meio do caminho quando percebe que estou na sala. Depois, desce o resto das escadas e senta ao meu lado no sofá. Ele se senta bem no meio: perto o suficiente para pegar algumas pipocas, mas longe o bastante para evitar me tocar.

— Está fazendo pesquisa? — pergunta, colocando os pés na mesa de centro na nossa frente.

Dou uma risada.

— Claro. Estou sempre trabalhando.

Ele pega mais pipocas, fazendo uma tigelinha com as mãos.

— Verity costumava fazer maratona de programas de TV quando estava com bloqueio criativo. Ela dizia que às vezes ajudava a ter ideias.

Não quero falar sobre Verity, então mudo de assunto.

— Terminei um argumento hoje. Se for aprovado amanhã, devo ir embora daqui a alguns dias.

Jeremy para de mastigar e olha para mim.

— Ah, é?

Ele não parece feliz com a ideia de eu ir embora. Gosto disso.

— É. E obrigada por me deixar ficar mais tempo do que deveria.

Ele fica me encarando.

— Mais tempo do que deveria? — Ele começa a mastigar de novo e olha para a TV. — Acho que não foi tempo *suficiente*.

Não sei o que ele quer dizer. Ele acha que não trabalhei o suficiente enquanto estava aqui ou queria ter passado mais tempo comigo?

Algumas vezes, como essa agora, tenho certeza do quanto ele está atraído por mim. Mas, em outras vezes, parece que ele faz um enorme esforço para negar qualquer atração que exista entre nós. E eu entendo. Entendo mesmo. Mas ele vai passar o resto da vida assim? Vai desistir de viver para cuidar de uma mulher que é só a casca da pessoa com quem ele se casou?

Entendo que ele tenha feito votos, mas a que custo? As pessoas se casam na expectativa de ter uma vida longa e feliz juntas. O que acontece quando uma delas tem a vida interrompida, mas a outra parece obrigada a cumprir os votos para sempre?

Não me parece justo. Se eu fosse casada e meu marido estivesse na situação de Jeremy, eu não ia querer que ele sentisse que não pode seguir em frente. Mas acho que eu nunca serei tão obcecada por um homem quanto Verity é por Jeremy.

O programa acaba e começa outro. Nenhum dos dois fala por vários minutos. Não é que eu não tenha nada a dizer. Tenho *muito* a dizer. Só não sei se devo.

— Não sei muito sobre você — diz Jeremy distraidamente, com a cabeça encostada no sofá. — Já foi casada?

— Não. Cheguei perto algumas vezes, mas nunca deu certo.

— Quantos anos você tem?

É claro que ele ia perguntar minha idade uma hora antes do meu aniversário.

— Você não vai acreditar.

Ele dá uma risada.

— Por que eu não acreditaria?

— Porque vou fazer 32. *Amanhã.*

— Mentira.

— Não é mentira. Mostro minha carteira de motorista.

— É bom mesmo, porque não estou acreditando.

Reviro os olhos e vou ao quarto pegar a bolsa. Pego a carteira de motorista e entrego a ele.

Ele olha e balança a cabeça.

— Que aniversário de merda — diz. — Está com pessoas que você mal conhece e trabalhando o dia inteiro.

Dou de ombros.

— Se eu não estivesse aqui, estaria sozinha em casa.

Ele fica olhando para minha carteira de motorista por um tempo. Quando passa os dedos pela minha foto, sinto um arrepio. Ele nem me tocou — tocou só a minha carteira de motorista — e já fiquei com tesão.

Eu sou patética.

Ele me devolve a carteira e se levanta.

— Aonde você vai?

— Fazer um bolo pra você — diz, saindo da sala.

Sorrio e vou atrás dele na cozinha. Jeremy Crawford fazendo bolo é algo que não quero perder.

Estou sentada no meio da cozinha olhando enquanto ele põe a cobertura no bolo. Em todos os dias aqui, essa é a segunda vez em que realmente me diverti. Não falamos sobre Verity, nossas tragédias ou o contrato de trabalho na última hora. Enquanto o bolo estava assando, eu sentei no bar, com as pernas balançando. Jeremy ficou encostado na bancada em frente e conversamos sobre filmes, músicas e nossos gostos.

Agora começamos a nos conhecer para além de tudo o que nos aproximou antes. Ele estava bem descontraído no dia em que fomos jantar com Crew, mas aqui, dentro das paredes desta casa, é a primeira vez que o vejo tão à vontade.

Quase consigo entender a obsessão de Verity por ele.

— Volta lá para a sala — diz ele, pegando as velas na gaveta.

— Por quê?

— Porque sim. Tenho que entrar segurando o bolo e cantando "Parabéns pra você". É o pacote completo.

Salto do bar e volto ao sofá. Ponho a televisão no mudo porque quero ouvi-lo cantar parabéns para mim sem interrupções. Fico toda hora clicando no botão de informações da TV para checar o horário. Ele está esperando a meia-noite para fazer a entrada oficial.

Assim que dá meia-noite, vejo a luz das velas quando ele chega à sala. Jeremy começa a cantar bem baixinho para não acordar Crew, e dou uma risada.

— Parabéns pra você — sussurra. Ele cortou uma fatia do bolo e colocou uma vela. — Nesta data querida.

Ainda estou rindo quando ele chega ao sofá e se abaixa devagar para não derrubar o bolo ou apagar a vela ao sentar do meu lado.

— Muitas felicidades, muitos anos de vida.

Estamos frente a frente no sofá. É hora de eu fazer um pedido e assoprar a vela, mas não sei bem o que pedir. Consegui arranjar um ótimo trabalho. Estou prestes a ganhar mais dinheiro do que jamais tive na minha conta. A única coisa que eu gostaria de ter agora, mas ainda não tenho, é *ele*. Olho nos olhos dele e apago a vela.

— Qual foi o seu pedido?

— Se eu contar, não vai se realizar.

O sorriso dele é o de alguém que está flertando.

— Talvez você possa me contar depois que se realizar.

Ele não me dá o bolo logo de cara. Faz toda uma cena, cortando com uma faca.

— Sabe qual é o segredo para fazer um bolo tão molhadinho?

Ele passa o garfo para mim.

— Qual é?

— Água.

Como um pedaço do bolo e dou um sorriso.

— Está muito bom — digo, ainda de boca cheia.

— É a *água* — repete ele.

Dou uma risada.

Ele segura o prato enquanto pego mais um pedaço, e depois ofereço o garfo a ele. Ele balança a cabeça.

— Já comi um pedaço na cozinha.

Não sei bem por quê, mas gostaria de ter visto isso. Também gostaria de saber se ele está com gosto de chocolate.

Jeremy levanta a mão.

— Tem cobertura no seu... — Ele aponta para a minha boca. Tento limpar, mas ele balança a cabeça. — Não, bem aqui.

E desliza o dedo em meu lábio.

Eu engulo aquele pedaço de bolo, mas seu dedo não sai do meu lábio.

Puta merda. Não consigo respirar.

Não consigo me mover. Ele está tão perto mas, ao mesmo tempo, não sei o que posso fazer. Quero atirar o garfo longe, que ele jogue o prato de bolo no chão e me beije. Mas eu não sou a pessoa casada aqui. Não quero tomar a iniciativa. Ele também *não deveria* tomar a iniciativa, mas estou desesperada por ele.

Jeremy não joga o bolo longe. Em vez disso, inclina-se na minha direção e coloca o bolo em cima da mesa. Com o mesmo movimento fluido, põe a mão na minha cabeça e cola os lábios nos meus. Mesmo depois de toda a espera por esse momento, aquilo ainda parece inesperado.

Fecho os olhos e derrubo o garfo no chão, deitando no braço do sofá. Ele me segue, fica em cima de mim, sem desgrudar os lábios. Abro um pouco a boca e ele desliza a língua para dentro. Aquela leveza do beijo não dura muito. Assim que sentimos o gosto um do outro pela primeira vez, o beijo fica muito intenso. O beijo dele é exatamente como eu imaginava que fosse: radiação, explosivos, dinamite. É tudo ao mesmo tempo, é perigoso.

Estamos com gosto de chocolate e os beijos não param. Suas mãos estão entrelaçadas em meus cabelos e, a cada segundo daquele beijo, mais nos afundamos no sofá: ele relaxando por cima de mim, eu me afundando nas almofadas.

Sua boca deixa a minha por um segundo em busca de outras partes do corpo que ele parece desesperado para provar. Meu queixo, meu pescoço, meu colo. É como se ele estivesse faminto por mim. Ele me beija e me toca com o apetite de um homem que passou fome a vida inteira.

Suas mãos entram pela minha blusa e seus dedos estão quentes, brincando com minha pele como se fossem gotas de água quente.

Ele volta à minha boca só por um momento, o suficiente para sentir o gosto da minha língua antes de se afastar e tirar a camisa.

Minhas mãos vão direto para seu peito, como se pertencessem àquele lugar, às curvas do seu abdômen. Minha vontade é contar para ele que foi exatamente isso o que pedi quando apaguei a vela, mas tenho medo de que qualquer palavra o faça pensar melhor sobre o que estamos fazendo, então fico quieta.

Deito a cabeça no braço do sofá querendo que ele explore meu corpo ainda mais.

E é isso que ele faz. Jeremy tira a minha camisa e vê que não estou com sutiã por baixo do pijama. Ele solta um grunhido, e é lindo, e então abocanha meu mamilo, me fazendo arfar.

Levanto a cabeça para encará-lo, mas o sangue em minhas veias congela ao olhar para o topo da escada. Ela está lá, olhando enquanto o marido está com a boca em meu seio.

Meu corpo todo enrijece ali embaixo de Jeremy.

Verity cerra os punhos antes de voltar para o quarto.

Estou engasgada. Eu o empurro e o afasto.

— Verity — digo, sem conseguir respirar.

Ele para de me beijar e levanta a cabeça, mas não se move.

— Verity — repito, para ver se ele entende que precisa sair de cima de mim.

Ele levanta e se apoia nos braços, confuso.

— Verity! — digo mais uma vez, agora com mais desespero. É só o que tenho condições de dizer. Estou tomada pelo medo e mal consigo inspirar e expirar.

Que porra é essa?

Jeremy está ajoelhado, segurando-se no sofá para levantar e sair.

— Me desculpe.

Recolho os joelhos e me encolho no canto do sofá, bem longe dele. Levo a mão à boca.

— Meu Deus! — É como se as palavras caíssem nos meus dedos trêmulos.

Ele tenta tocar no meu braço, mas eu me esquivo.

— Me desculpe — diz ele novamente. — Não devia ter te beijado.

Balanço a cabeça porque ele não está entendendo. Ele acha que estou assim porque me senti culpada por ele ser casado. Mas eu a *vi*. Em pé. Ela estava *em pé*. Aponto para o topo da escada.

— Acabei de vê-la — sussurro, porque estou muito apavorada para dizer em voz alta. — Ela estava em pé no topo da escada.

Ele olha para a escada com uma expressão confusa. Olha de volta para mim.

— Ela não consegue *andar*, Lowen.

Não estou louca. Levanto e saio de perto do sofá, cobrindo meu peito nu com as mãos. Aponto para a escada novamente, e agora falo alto.

— A porra da sua mulher estava em pé no topo da porra da *escada*, Jeremy. Eu sei o que eu vi!

Ele vê em meus olhos que estou falando a verdade. Depois de dois segundos, já está correndo escada acima para o quarto dela.

Ele não vai me deixar sozinha aqui embaixo.

Visto minha camisa e vou atrás dele. Eu me recuso a ficar sozinha nesta casa por mais um segundo. Quando chego ao segundo andar, Jeremy está na porta do quarto dela. Ele ouve quando me aproximo. E então... simplesmente vai embora. Passa por mim sem nem me olhar e desce as escadas.

Ando vários passos até conseguir espiar dentro do quarto. Olho só por um segundo. É todo o tempo que preciso para ver que ela está lá, na cama. Embaixo das cobertas. *Dormindo.*

Balanço a cabeça e meus joelhos começam a falhar. *Não é possível que isso esteja acontecendo.* Começo a descer as escadas, mas preciso parar no meio do caminho. Não consigo me mover. Mal consigo respirar. Meu coração nunca bateu tão rápido.

Jeremy está na base da escada. Provavelmente não sabe bem o que pensar depois do que aconteceu. *Eu* não sei o que pensar. Ele anda de um lado para o outro em frente à escada, olhando para mim de vez em quando, certamente esperando pelo momento em que vou começar a rir dessa piada de mau gosto.

Não foi uma piada.

— Eu a vi — murmuro.

Ele me escuta. Olha para mim, não com um olhar de raiva, mas de quem pede desculpas. Sobe as escadas até onde estou, põe os braços ao meu redor e me ajuda a descer. Enterro o rosto em seu pescoço, tentando fazer aquela imagem desaparecer da minha mente.

— Me desculpe — digo a ele. — É que... talvez eu não esteja dormindo direito... Talvez...

— A culpa é minha — rebate Jeremy, me interrompendo. — Você está trabalhando há duas semanas direto sem folga. Está exausta. E aí eu, *nós*... Isso é paranoia. Culpa. Não sei. — Ele se afasta, segurando meu rosto com as duas mãos. — Acho que ambos precisamos de umas boas doze horas de sono.

Estou certa do que vi. Podemos botar a culpa na exaustão ou na culpa, mas eu a vi. Eu vi tudo. Ela com os punhos cerrados. A expressão de raiva antes de sair correndo.

— Quer uma água?

Balanço a cabeça. Não quero que ele saia do meu lado. Não quero ficar sozinha.

— Por favor, não me deixe sozinha esta noite — imploro.

Não consigo saber o que ele está pensando pela expressão de seu rosto. Ele concorda com a cabeça.

— Não vou deixar. Mas preciso desligar a TV, trancar as portas, colocar o bolo na geladeira. — Ele vai em direção à porta. — Volto em alguns minutos.

Vou ao banheiro lavar o rosto na esperança de que a água fria me acalme. Não acalma. Quando volto ao quarto, Jeremy está trancando a fechadura no alto da porta.

— Não posso ficar a noite inteira — diz ele. — Não quero que Crew se assuste caso acorde e não me encontre.

Eu me deito na cama e me viro para a janela. Jeremy se deita atrás de mim e me envolve num abraço. Posso sentir seu coração batendo, e está quase tão rápido quanto o meu. Ele deita a cabeça no meu travesseiro, enquanto entrelaça a mão na minha.

Tento imitar sua respiração para tentar desacelerar a minha. Estou respirando só pelo nariz porque meu maxilar está completamente travado. Ele me dá um beijo na cabeça.

— Relaxa — murmura. — Está tudo bem.

Tento relaxar. E até consigo um pouco, apenas porque ficamos deitados ali por tanto tempo que é impossível os músculos ficarem contraídos de tensão depois de um período.

— Jeremy? — sussurro.

Ele passa os dedos na minha mão para mostrar que está ouvindo.

— Existe alguma chance... Ela poderia estar fingindo?

Ele não responde de cara, como se estivesse pensando na possibilidade.

— Não — responde finalmente. — Eu vi os exames.

— Mas as pessoas melhoram. Ferimentos se curam.

— Eu sei. Mas Verity não conseguiria fingir algo assim. Ninguém conseguiria. É impossível.

Fecho os olhos, porque ele está me garantindo que a conhece muito bem e sabe que ela não faria algo assim. Mas Jeremy... Jeremy *não conhece Verity.*

17

Fui dormir convencida de que tinha visto Verity em pé no topo da escada ontem à noite.

Acordei cheia de dúvidas.

Passei a vida inteira desconfiando de mim mesma enquanto dormia. Agora estou começando a desconfiar de mim acordada também. Eu a vi mesmo? *Foi uma alucinação por causa do estresse? Estava me sentindo culpada por estar beijando o marido dela?*

Fiquei enrolando um pouco na cama hoje de manhã, sem querer sair do quarto. Jeremy levantou da cama por volta das quatro da manhã. Eu o ouvi trancar a porta, e logo depois me mandar uma mensagem no celular dizendo para chamá-lo se precisasse.

Um pouco depois do almoço, Jeremy bateu à porta do escritório. Quando ele entrou, estava com cara de quem não havia dormido.

Ele não tem dormido muito esta semana, e a culpa é minha. Olhando pelo ponto de vista dele, eu sou uma louca histérica que acorda no meio da noite na cama da mulher dele e depois alega tê-la visto no topo da escada quando ele finalmente me beija.

Pensei que ele tinha vindo ao escritório me pedir para ir embora e, sinceramente, estou prontíssima para fazer isso. Só que o dinheiro ainda não caiu na minha conta. Meio que estou presa aqui enquanto não tiver esse dinheiro.

Mas ele veio me contar que comprou outra fechadura. Desta vez, para a porta do quarto de *Verity*.

— Achei que te ajudaria a dormir melhor sabendo que não há nenhuma chance de ela sair do quarto, ainda que isso nem seja possível.

Ainda que isso nem seja possível.

— Só vou trancar à noite, quando formos dormir — continua ele. — Eu aleguei para April que a porta de Verity estava abrindo sozinha por causa da corrente de ar. Não quero que ela pense que está lá por qualquer outro motivo.

Agradeci, mas, depois que ele saiu, não me senti nada segura. Minha preocupação era que ele estivesse colocando a fechadura na porta porque *ele* estava preocupado. Claro que queria que ele acreditasse em mim. Se ele acreditasse, era porque podia ser verdade.

Neste caso, eu preferia estar errada.

Não sei muito bem o que fazer com o manuscrito de Verity. Queria que Jeremy soubesse quem sua mulher é de verdade, como eu sei agora. Acho que ele merece saber o que ela fez com as filhas, principalmente porque Crew passa muito tempo lá em cima com ela. Sigo desconfiada desde o dia em que ele me disse que conversava com a mãe. Sei que ele só tem 5 anos e pode estar se confundindo, mas, se existe alguma chance de ela estar fingindo, Jeremy merece saber.

Mas ainda não criei coragem para dar o manuscrito a ele porque, de fato, existe apenas uma *possibilidade* remota de que ela esteja fingindo. Faria mais sentido acreditar que a exaustão e a falta de sono estavam me fazendo ver coisas do que pensar que uma mulher fingiria algo tão sério por meses. *Sem nenhuma razão aparente.*

Além disso, ainda não terminei o manuscrito. Não sei como acaba. Não sei o que aconteceu a Harper e a Chastin. Será que o manuscrito chega a contar sobre os incidentes?

Mas já estou chegando ao fim. Provavelmente só vou conseguir ler mais um capítulo antes de precisar fazer um intervalo diante de tanto horror. Tranco a porta do escritório e começo o próximo capítulo, mas decido pulá-lo, assim como vários outros. Não quero saber dos beijos deles, muito menos das transas. Não quero estragar a lembrança do nosso beijo lendo a experiência de outra mulher com ele.

Depois de pular mais uma cena de sexo, chego ao capítulo que parece explicar a morte de Chastin. Verifico novamente a fechadura da porta antes de começar.

Capítulo Treze

Engravidei de Crew duas semanas depois de mentir a Jeremy que estava grávida. Era como se o destino estivesse a meu favor. Rezei e agradeci a Deus, embora não acreditasse que Ele tivesse algo a ver com aquilo.

Crew era um bebê bonzinho (eu imagino). Àquela altura eu ganhava tanto dinheiro que podia pagar por uma babá para ficar em tempo integral na casa nova. Jeremy tinha largado o trabalho para cuidar das crianças e achava que era desnecessário ter uma babá. Então passei a chamá-la de governanta (*mas ela era uma babá*).

Com a babá em casa, Jeremy passava os dias fazendo trabalhos e reparos manuais na propriedade. Mandei instalar janelas enormes no escritório para conseguir vê-lo de quase todos os ângulos.

A vida foi muito boa durante um tempo. Eu cuidava de todas as partes fáceis da maternidade enquanto Jeremy e a babá ficavam com as difíceis. E eu viajava *muito*. Fazia turnês de lançamento e entrevistas. Era ruim ficar sem o Jeremy, mas ele preferia ficar em casa com as crianças. Com o tempo, no entanto, passei a gostar desses intervalos. Percebi que, quando eu ficava longe por uma semana, Jeremy me dava muito mais atenção quando eu voltava, algo parecido com o que tínhamos antes das crianças.

Às vezes eu inventava que tinha trabalho em Nova York, alugava um apartamento no Chelsea e ficava uma semana lá assistindo à TV. Então, quando eu voltava, Jeremy transava comigo como se fosse a primeira vez. A vida estava maravilhosa.

Até não estar mais.

Foi uma questão de segundos. Como se o sol congelasse de repente, as trevas caíssem sobre nossas vidas e, não importava o quanto tentássemos, não conseguíamos ver a luz de novo.

Estava parada em frente à pia, limpando um frango. *Uma porra de um frango cru*. Podia estar fazendo qualquer coisa... molhando as plantas, escrevendo, fazendo tricô, *qualquer outra coisa*. Mas para sempre vou me lembrar daquele frango cru nojento ao pensar no momento em que soubemos que tínhamos perdido Chastin.

O telefone tocou. *Eu estava limpando o frango.*

Jeremy atendeu. *Eu estava limpando o frango.*

Começou a levantar a voz. *Ainda limpando o maldito frango.*

E aí veio aquele som... um som gutural, lancinante. Eu o ouvi dizer "não" e "como e onde ela está" e "já estamos indo". Quando desligou, olhei para ele pelo reflexo da janela. Ele estava no corredor, segurando a porta como se fosse cair de joelhos sem aquele apoio. Eu ainda estava limpando o frango. As lágrimas começaram a escorrer em meu rosto, meus joelhos vacilaram. Meu estômago começou a revirar.

Vomitei no frango.

E é assim que sempre vou me lembrar de um dos piores momentos da minha vida.

Durante todo o caminho até o hospital, eu só imaginava como Harper tinha conseguido fazer aquilo. Harper a tinha sufocado, como no meu sonho? Ou tinha inventado uma maneira mais inteligente de matar a irmã?

Elas foram para uma festa do pijama na casa da Maria, uma amiguinha. Já tinham ido lá diversas vezes. E a mãe da Maria, Kitty — *que nome idiota* —, sabia da alergia de Chastin. Minha filha nunca saía de casa sem sua "caneta" de adrenalina, mas Kitty a encontrou desacordada naquela manhã. Chamou a emergência e ligou para Jeremy assim que a ambulância a levou.

Quando chegamos ao hospital, Jeremy ainda tinha uma frágil esperança de que eles tivessem se confundido e de que ela estivesse bem. Kitty nos encontrou no corredor e não parava de dizer: "Sinto muito. Ela não queria acordar."

Foi tudo o que ela disse. "Ela não queria acordar." Ela não disse "Ela está morta", apenas *"Ela não queria acordar"*, como se Chastin fosse uma menina birrenta que não queria sair da cama.

Jeremy saiu correndo pelo meio do corredor de pacientes da emergência. Eles o tiraram de lá e avisaram que precisávamos esperar na sala da família. Todo mundo sabe que é o lugar onde ficam os parentes de alguém que morreu. Foi naquele instante que Jeremy entendeu que ela havia morrido.

Nunca tinha ouvido Jeremy gritar daquele jeito. Um homem adulto, de joelhos, soluçando como uma criança. Teria ficado com vergonha alheia se não estivesse ali com ele.

Ela estava morta havia menos de um dia quando finalmente conseguimos vê-la, mas já não tinha o cheiro de Chastin. Tinha cheiro de morte.

Jeremy fez muitas perguntas. Todas as perguntas. *Como isso aconteceu? Tinham amendoim em casa? A que horas elas foram dormir? Alguém pegou a caneta de adrenalina na mochila dela?*

Eram as perguntas certas. Devastadoramente certas. Pouco mais de uma semana depois, a causa da morte foi confirmada. Anafilaxia.

Nós tomávamos um cuidado extremo com a alergia dela. Toda vez que as meninas iam para algum lugar sob a responsabilidade de alguém, Jeremy passava meia hora conversando com a mãe do amiguinho sobre os procedimentos e explicando como usar a caneta de adrenalina. Sempre achei que fosse um exagero, porque só usamos aquilo uma vez na vida.

Kitty sabia muito bem da alergia e sempre tirava os amendoins do alcance das meninas quando elas estavam lá. O que ela não sabia é que, no meio da noite, as meninas tinham resolvido ir até a despensa pegar um lanchinho. Chastin tinha apenas 8 anos; estava escuro e era tarde quando elas ficaram com fome. Harper disse que não perceberam o que estavam comendo, nem que havia amendoim. Quando acordaram na manhã seguinte, *Chastin não queria acordar.*

Jeremy ficou em negação por um tempo, mas nunca questionou o fato de Chastin ter comido amendoim sem saber. Mas eu sim. Eu sabia. *Eu sabia.*

Toda vez que olhava para Harper eu via a culpa em seus olhos. Há anos eu esperava que fosse acontecer. *Anos.*

Sabia, desde que tinham apenas seis meses de idade, que Harper a mataria. E que crime perfeito. Nem o próprio pai desconfiaria dela.

Já a mãe... *Eu* era mais difícil de ser convencida.

Senti falta de Chastin, é claro. Fiquei triste com sua morte. Mas algo me incomodou na forma como Jeremy lidou com aquilo. Ele ficou devastado. Apático. Já haviam passado três meses da morte dela e eu estava ficando impaciente. Só havíamos transado duas vezes desde que ela morrera, e em nenhuma delas ele me beijou de verdade, de língua. Era como se estivesse desconectado de mim, apenas me usando para se distrair, para se sentir melhor, sentir algo que não fosse angústia. Mas eu queria mais. Queria o Jeremy de antes de volta.

Uma noite, eu tentei. Deitei por cima dele e segurei o pau de Jeremy enquanto ele dormia. Deslizei a mão para cima e para baixo, esperando que ficasse duro. Nada aconteceu. Em vez disso, ele afastou minha mão.

— Deixa para lá, Verity. Não precisa fazer isso.

Jeremy disse isso como se estivesse me fazendo um favor. Como se estivesse me afastando para me deixar tranquila.

Não precisava de tranquilidade.

Não precisava.

Tive oito anos para aceitar aquilo. Eu sabia que ia acontecer. Tinha sonhado com aquilo. Dei todo o amor que pude a Chastin durante cada minuto da sua vida porque sabia que não ia durar muito. Sabia que Harper faria algo com ela. Não que eu pudesse provar que Harper estivesse envolvida. Não adiantava tentar argumentar com Jeremy, ele nunca acreditaria em mim. Ele a amava demais. Nunca acreditaria em algo tão cruel — que ela pudesse fazer isso com a própria irmã gêmea.

Em parte, eu me senti culpada. Podia ter tentado sufocá-la novamente quando era bebê. Ou deixado uma garrafa de água sanitária aberta perto dela quando ainda era pequena. Ou até mesmo bater com o lado do passageiro do carro depois de tirar seu cinto de segurança e desativar o airbag. Eu podia ter evitado tudo isso. Tantos acidentes que eu podia ter encenado. *Devia* ter encenado.

Se eu tivesse impedido Harper a tempo, ainda teríamos Chastin.

E então talvez Jeremy não estivesse tão chato e *triste* o tempo inteiro.

18

Verity está na sala. April desceu com ela de elevador pouco antes de ir embora. Não sei se gosto dessa mudança na rotina.

— Ela está bem acordada hoje. Pensei em deixar Jeremy colocá-la pra dormir — disse April.

Ela deixou Verity de frente para a TV, com a cadeira de rodas parada ao lado do sofá.

Verity está assistindo à *Roda da Fortuna*. Ou... pelo menos está olhando naquela direção.

Fico parada no batente da porta da sala, olhando para ela. Jeremy está lá em cima com Crew. Está escuro lá fora e a luz da sala está apagada, mas, com a luz que vem da televisão, consigo ver o rosto sem expressão de Verity.

Não consigo imaginar que alguém se dê ao trabalho de fingir uma lesão dessas por tanto tempo. Nem sei como seria possível fazer isso. Será que ela se assustaria com um barulho alto?

Perto da entrada da sala, ao meu lado, há uma tigela com bolas decorativas de vidro e de madeira. Dou uma olhada em volta, pego uma das bolas de madeira e jogo na direção dela. Quando a bola cai no chão, ela nem se mexe.

Eu sei que ela não está paralisada, então como é que ela nem estremece? Ainda que o dano ao cérebro seja extenso a ponto de ela não conseguir falar, Verity deveria se assustar com barulhos, não? Ter algum tipo de reação?

A não ser que tenha se condicionado a não reagir.

Fico olhando para ela por mais um tempo antes de começar a me assustar com meus próprios pensamentos. Volto para a cozinha e a deixo lá com os apresentadores de *Roda da Fortuna*.

Só restam mais dois capítulos do manuscrito de Verity. Estou rezando para não encontrar uma continuação porque não aguento mais os altos e baixos dessa experiência. Depois de ler cada capítulo, sinto uma ansiedade que é pior do que quando tenho ataques de sonambulismo.

Estou aliviada por ela não ter tido nada a ver com a morte de Chastin, mas, ao mesmo tempo, abalada com sua maneira de pensar durante todo o processo. Ela parece tão distante de tudo. Tão bidimensional. Verity perdeu a filha. No entanto, tudo o que pensa é que deveria ter matado Harper e que está de saco cheio de esperar Jeremy superar o luto.

"Perturbador" ainda é uma palavra suave pra descrever tudo isso. Ainda bem que está terminando. A maior parte do manuscrito descreve passagens que aconteceram há anos, mas este último capítulo é mais recente. É de menos de um ano atrás, meses antes da morte de Harper.

A morte de Harper.

Pretendo chegar a essa parte em breve. Talvez esta noite. Não sei. Não dormi bem nos últimos dias e tenho medo de não conseguir dormir *nunca mais* depois de terminar esse manuscrito.

Estou cozinhando espaguete para Jeremy e Crew hoje. Estou tentando focar no jantar e não na alma inexistente de Verity. Atrasei de propósito para que a refeição só estivesse pronta depois que April já tivesse ido embora. Espero que Jeremy leve Verity para a cama antes da hora de comer. Meu aniversário está quase no fim e ninguém merece ter um jantar de aniversário ao lado de Verity Crawford.

Estou mexendo o molho do macarrão quando me dou conta de que não estou ouvindo mais a TV. Deixo a colher ao lado da panela.

— Jeremy? — pergunto, na esperança de que ele esteja na sala. Na esperança de que ele seja a razão pela qual a TV não está mais fazendo barulho.

— Já estou descendo! — diz ele lá de cima.

Fecho os olhos, já sentindo meu pulso acelerar. *Se essa vaca desligou a porra da televisão, eu juro que saio correndo daqui sem sapato mesmo e não volto nunca mais.*

Cerro os punhos com raiva, porque estou ficando cansada dessa merda. Dessa casa. E dessa maldita mulher psicótica e asquerosa.

Nem tomo o cuidado de entrar na sala em silêncio, chego pisando forte.

A televisão ainda está ligada, mas não está mais fazendo barulho. Verity ainda está na mesma posição. Vou até a mesa ao lado da cadeira de rodas e pego o controle remoto. A televisão está no mudo e já estou de saco cheio disso. Estou *de saco cheio. Televisões não apertam o botão do mudo sozinhas!*

— Você é uma vagabunda escrota — resmungo.

Fico chocada com minhas próprias palavras, mas não o suficiente para sair dali. É como se cada palavra lida no manuscrito estivesse agora acendendo uma chama em mim. Tiro a televisão do mudo e jogo o controle remoto no sofá, fora do alcance dela. Eu me ajoelho em frente a ela, bem na sua linha de visão. Estou tremendo, mas dessa vez não é de medo. É de raiva. Raiva do tipo de mulher que ela foi para Jeremy. Do tipo de mãe que ela foi para Harper. Estou com raiva de ser a única pessoa a ver todas essas bizarrices que estão acontecendo. Estou cansada de achar que estou maluca!

— Você não merece nem esse corpo onde está presa — sussurro, olhando nos olhos dela. — Espero que você morra sufocada no seu próprio vômito, do mesmo jeito que tentou matar sua filha.

Fico esperando. Se ela estiver ali... se estiver me ouvindo... se estiver fingindo... minhas palavras vão afetá-la. Ao menos vão fazê-la reagir ou gritar ou *alguma coisa*.

Ela nem se move. Tento pensar em algo mais para dizer que possa fazê-la reagir. Alguma coisa que a faria perder a compostura. Levanto e me inclino até ela, falando em seu ouvido:

— Jeremy vai transar comigo na sua cama hoje.

Espero de novo... por um barulho... ou um movimento.

A única coisa que percebo é o cheiro de urina. Preenche o ar e entra pelas minhas narinas.

Dou uma olhada na calça dela bem quando Jeremy começa a descer as escadas.

— Está precisando de mim?

Eu me afasto dela e acabo chutando a bola de madeira que joguei antes. Aponto para Verity e me abaixo para pegar a bola.

— Acho que... acho que precisa trocar a roupa dela.

Jeremy segura as alças da cadeira de rodas e sai com ela da sala, em direção ao elevador. Dou um suspiro enquanto cubro a boca e o nariz com a mão.

Não sei por que nunca tinha ficado curiosa em saber quem dá banho ou troca as roupas de Verity. Imaginei que a enfermeira cuidasse da maior parte, mas obviamente ela não pode fazer tudo. O fato de ela ter incontinência, precisar de fraldas e que alguém lhe dê banho me dá ainda mais pena de Jeremy. Ele agora está levando a esposa para cima para fazer essas coisas e isso me dá raiva.

Estou com raiva de Verity.

Certamente ela está nessa situação como consequência do ser humano horrível que foi para as filhas e para Jeremy. Mas agora, pelo resto da vida, Jeremy é quem vai sofrer as consequências do carma de Verity.

Não é justo.

E mesmo que ela não tenha reagido a nada do que eu disse, só o fato de que aparentemente eu a assustei me convenceu de que ela está lá. *Em algum lugar.*

E agora ela sabe que eu não tenho mais medo.

***

Jantei com Crew, que passou o tempo inteiro brincando no iPad. Queria ter esperado por Jeremy, mas ele não queria que Crew comesse sozinho, e já estava passando da hora de ele dormir. Enquanto Jeremy cuidava de Verity, coloquei Crew na cama. Quando Jeremy terminou de dar banho, trocar as fraldas e colocá-la na cama, o espaguete já estava frio.

Só quando estou lavando a louça Jeremy desce. Não conversamos muito depois daquele beijo. Não sei muito bem como vão ser as coisas entre a gente, se vai ficar um clima constrangedor e cada um vai para o seu quarto depois de comer. Posso ouvi-lo atrás de mim mexendo no pão de alho enquanto sigo lavando a louça.

— Me desculpe — diz ele.

— Pelo quê?

— Por perder o jantar.

Dou de ombros.

— Você não perdeu. Está aí, pode comer.

Ele pega uma tigela no armário e serve o espaguete. Coloca para esquentar no micro-ondas e se encosta na bancada ao meu lado.

— Lowen.

Olho para ele.

— Qual é o problema?

Balanço a cabeça.

— Não é nada, Jeremy. Eu não devia dizer nada.

— Agora que disse isso, acho que você deve.

Não quero ter essa conversa com ele. Não tenho direito. É a vida dele, a mulher dele, a casa dele. Só vou ficar aqui por, no máximo, mais uns dois dias. Seco as mãos no pano de prato bem quando o micro-ondas apita. Mas ele não se move para abrir porque está muito ocupado tentando tirar algo de mim com seu olhar.

Encosto na bancada e dou um suspiro, deixando a cabeça cair para trás.

— É que... eu tenho pena de você.

— Não tenha.

— Não consigo evitar.

— Consegue sim.

— Não, não consigo.

Ele abre o micro-ondas e pega a tigela. Deixa em cima da bancada para esfriar e olha para mim novamente.

— Esta é a minha vida, Low. Não há nada que eu possa fazer. E você sentir pena de mim não ajuda em nada.

Viro a cabeça.

— Mas você está errado. Você pode, *sim*, fazer alguma coisa. Não precisa viver assim todos os dias. Há instituições, locais que podem cuidar dela muito melhor. Onde ela terá mais oportunidades. E você e Crew não ficarão presos a esta casa pelo resto da vida.

Jeremy trava o maxilar. Sabia que eu não devia ter dito nada.

— Agradeço que você pense que mereço uma vida melhor. Mas tente se colocar no lugar de Verity.

Ele não tem nem ideia de quanto já me coloquei no lugar dela nas últimas duas semanas.

— Acredite, eu já fiz isso. — Dou um pequeno soco na bancada, tentando encontrar a melhor maneira de dizer o que vem a seguir. — Ela não ia querer esta vida para você, Jeremy. É um prisioneiro dentro de sua própria casa. Crew é um prisioneiro dentro da própria casa. Ele precisa se afastar deste lugar. Leve-o para tirar umas férias. Volte a trabalhar e ponha Verity numa instituição onde ela receba cuidados em tempo integral.

Jeremy já está balançando a cabeça antes mesmo de eu terminar de falar.

— Não posso fazer isso com Crew. Ele já perdeu as duas irmãs. Não pode sofrer outra perda assim. Se Verity estiver aqui, pelo menos ele pode passar um tempo com ela.

Jeremy não falou nada sobre ele mesmo querer que ela esteja aqui. Apenas Crew.

— Tire alguns momentos livres então. Pode colocá-la numa instituição só por alguns dias, assim não fica muito pesado para você. E ela volta para casa no fim de semana, quando Crew não estiver na escola.

Ando na direção dele e seguro seu rosto com as duas mãos. Quero que ele veja o quanto me preocupo. Talvez se ele perceber que alguém se importa com seu bem-estar, vai levar essa conversa a sério.

— Tire alguns momentos para *você* — digo, baixinho. — Você merece ter momentos que não tenham nada a ver com ela. De vez em quando, faça o que *você* quer.

Sinto seus dentes travarem enquanto seguro seu rosto. Ele se afasta de mim e apoia as mãos na bancada de granito, deixando a cabeça cair entre os ombros.

— O que *eu* quero? — pergunta, em voz baixa.

— Sim. O que *você* quer?

Sua cabeça cai para trás e ele ri, como se fosse uma pergunta idiota. E então ele diz uma palavra, como se fosse a pergunta mais fácil a que já respondeu.

— *Você*.

Ele se afasta da bancada e vem em minha direção. Agarra minha cintura com as duas mãos e coloca a testa na minha, olhando em meus olhos, cheio de desejo.

— Quero *você*, Low.

Ele completa minha sensação de alívio com um beijo. É diferente do nosso primeiro beijo. Desta vez ele é mais paciente, e seus lábios se movem devagar contra os meus, suas mãos na curva do meu pescoço. Ele vai me saboreando, construindo o desejo com cada movimento de sua língua. Ele se curva, me levanta e coloca minhas pernas em volta de sua cintura.

Saímos da cozinha, mas só vou abrir os olhos quando estivermos sozinhos dentro do quarto trancado. Verity não vai estragar tudo desta vez.

Quando chegamos ao quarto principal, ele me solta e nossos lábios se separam. Fico parada perto da cama enquanto ele anda em direção à porta.

— Tire a roupa — diz Jeremy, sem olhar para mim, enquanto tranca a porta.

É uma ordem. E estou ansiosa para obedecer agora que a porta está trancada. Ficamos olhando um para o outro enquanto nos despimos. Ele tira a calça enquanto eu desabotoo a camisa, então é a vez dele se livrar da camisa enquanto eu tiro a minha calça. Seus olhos passeiam pelo meu corpo enquanto abro o sutiã. Ele não me toca, não me beija, apenas me olha.

Ao tirar a calcinha, são muitas emoções correndo em minhas veias: medo, animação, irritação, desejo, apreensão. Deslizo a calcinha pelos quadris, pelas pernas, e a chuto para longe. Eu me ajeito em pé e estou completamente à mostra.

Ele tira a última peça de roupa enquanto me admira. Algo remexe dentro de mim: não importa o quão precisa fosse a descrição física de Verity, eu não estava preparada para a magnitude daquele corpo.

Ficamos ali em pé, pelados, a respiração ofegante.

Ele dá um passo em minha direção, seus olhos estão em meu rosto. Sua mão quente desliza pelas minhas bochechas e pelo meu cabelo, enquanto ele aproxima a boca da minha novamente. O beijo é leve e suave, com só um pouquinho de língua.

Seus dedos se movem pela minha espinha e sinto um arrepio.

— Não tenho camisinha — diz ele, enquanto agarra a minha bunda e me puxa para mais perto.

— Eu não tomo pílula.

Minhas palavras não o impedem de me levantar e levar até a cama. Seus lábios circundam rapidamente meu mamilo e depois tocam de leve minha boca enquanto ele se posiciona por cima de mim.

— Eu tiro antes.

— Tudo certo.

Ele sorri quando digo isso e sussurra "tudo certo" em meus lábios enquanto começa a me penetrar. Estamos tão focados na conexão que nem estamos nos beijando. Só respirando contra a boca um do outro. Fecho os olhos quando ele entra por completo dentro de mim. Machuca por alguns segundos, mas, quando ele começa a se mover, a dor vira uma sensação de preenchimento incrível que me faz gemer.

Os lábios de Jeremy estão em minha bochecha e depois voltam para a minha boca antes de ele levantar o rosto. Quando abro os olhos, o que vejo é um homem que, pela primeira vez, não está pensando em nada além do que está na frente dele. Seu olhar não está distante. Somos apenas ele, eu e este momento.

— Tem ideia de quantas vezes me imaginei com você?

Acredito que seja uma pergunta retórica, porque ele me beija imediatamente e não consigo responder. Ele agarra meus seios enquanto me beija. Um minuto depois, sai de dentro de mim e me vira de barriga para baixo. Ele me penetra por trás e leva a boca à minha orelha enquanto se move.

— Vou te colocar em todas as posições que imaginei.

Parece que aquelas palavras acendem um fogo dentro de mim.

— Por favor. — É só o que consigo dizer.

Depois disso, ele me segura pela barriga e me põe de quatro, pressionando minhas costas contra seu peito, sem sair de dentro.

Sinto sua respiração quente na parte de trás do meu pescoço. Agarro sua cabeça com a mão, trazendo sua boca para minha pele. Aquela posição dura uns trinta segundos, e então ele leva as mãos até minha cintura e me coloca de frente mais uma vez. Olhamos um para o outro enquanto ele me penetra.

Já estou me sentindo fraca diante daquela força: seus braços me viram e reviram na cama a cada minuto. Eu me dou conta de que, em todos os trechos que li descrevendo a intimidade dos dois, sua mulher sempre parecia precisar impor alguma forma de controle sobre ele.

Eu me rendo totalmente a ele. Deixo que faça o que quiser comigo.

E é o que ele faz, por cerca de meia hora. Toda vez que parece perto de terminar, ele sai de dentro de mim e me beija, até que volta para dentro de novo. Então me beija, muda de posição, me penetra, me beija, muda de posição. É um ciclo e não quero que termine nunca.

Em algum momento estamos naquela que acredito ser uma de suas posições favoritas. Ele deitado com a cabeça no travesseiro, minhas coxas uma de cada lado de sua cabeça. Não tenho certeza se chegamos a essa posição por causa dele ou por minha causa. Ainda não me abaixei o suficiente para chegar à sua boca porque estou olhando para as marcas de dentes na cabeceira da cama.

Fecho os olhos porque não quero vê-las.

Ele desliza as mãos pela minha barriga e até os meus seios. Agarra-os com as duas mãos enquanto começa, devagar, a me explorar com a língua. Minha cabeça cai para trás e dou um gemido tão alto que preciso cobrir a boca com a mão.

Ele parece gostar do barulho porque faz exatamente a mesma coisa com a língua, e é tão arrebatador que não tenho outra saída a não ser me agarrar na cabeceira. Abro os olhos e minha boca está a poucos centímetros da cabeceira. A poucos centímetros das marcas de dente feitas por Verity quando estava nessa mesma posição.

Quando Jeremy começa a usar os dedos para acompanhar a língua, não tenho mais como segurar os gritos. Nessa posição, só me resta me inclinar para a frente e tentar abafar o barulho enquanto gozo.

Dou uma mordida na cabeceira de madeira à minha frente.

Posso sentir as marcas dos dentes de Verity por baixo da minha. São diferentes. Não estão alinhadas. Mordo com mais força a madeira ao gozar, na tentativa de deixar marcas mais profundas que as dela. Na tentativa de me lembrar apenas de Jeremy e de mim na próxima vez que olhar para essa cabeceira.

Verity está confinada em um quarto, mas sua presença assombra todos os cômodos desta casa. Não quero mais pensar nela quando estiver neste quarto.

Depois de gozar, eu me afasto da cabeceira e abro os olhos para ver as marcas que deixei. Passo os dedos para limpar minha saliva e Jeremy já está me puxando de novo para ficar embaixo dele. Ele nem precisa me penetrar para gozar: me abraça e consigo sentir aquele líquido quente na minha pele enquanto ele me beija.

Pelo desespero desse beijo, sinto que esta vai ser uma longa noite.

19

A segunda rodada foi no chuveiro, meia hora depois. Nossas mãos passeavam por nossos corpos, as duas bocas eram uma só, e logo ele estava dentro de mim de novo, eu com as mãos apoiadas na parede enquanto ele me penetrava debaixo d'água.

Ele gozou nas minhas costas e depois me lavou.

Estamos na cama agora. São quase três da manhã e sei que em breve ele vai voltar para o quarto dele. Mas não quero que vá. Estar com ele foi exatamente como eu imaginei e, de certa forma, só me sinto bem nesta casa quando estou em seus braços. Ele me deixa segura, mesmo que não saiba dos perigos que nos rondam.

Seu braço me envolve e estou aconchegada, deitada em seu peito. Seus dedos perambulam pelo meu braço. Estamos fazendo perguntas um ao outro para evitar que o sono chegue. Agora as perguntas ficaram mais pessoais: ele quer saber como foi meu último relacionamento.

— Foi superficial.

— Por quê?

— Não sei nem se era um relacionamento — respondo. — A gente definia assim, mas era apenas sexo. Não nos encaixávamos na vida um do outro fora da cama.

— E quanto tempo durou?

— Um bom tempo — respondo, levantando e olhando para ele. — Era com o Corey, meu agente.

Os dedos de Jeremy param em meu braço.

— Aquele agente que eu conheci?

— É.

— E ele ainda é seu agente?

— Ele é um ótimo agente.

Volto a deitar a cabeça em seu peito e os dedos de Jeremy voltam a perambular em meu braço.

— Fiquei com um pouco de ciúmes — diz.

Eu rio porque sinto que ele também está rindo. Há um momento de silêncio e então pergunto algo sobre o qual estava curiosa.

— E como era seu relacionamento com Verity?

Jeremy dá um suspiro que faz minha cabeça se mover em seu peito. Então ele me coloca no travesseiro e se deita de lado, para olhar nos meus olhos.

— Vou responder à sua pergunta, mas não quero que tenha uma impressão ruim de mim.

— Não terei — prometo, balançando a cabeça.

— Eu a amava. Era a minha esposa. Mas às vezes eu tinha a impressão de que a gente não se conhecia de verdade. Morávamos juntos, mas era como se nossos mundos não estivessem conectados. — Ele leva a mão aos meus lábios, tocando-os com a ponta dos dedos. — Tinha uma atração louca por ela, o que imagino que você não queira ouvir, mas é verdade. Nossa vida sexual era ótima. Mas o resto... Não sei. No início eu achava que faltava alguma coisa, mas fiquei com ela, casei e comecei uma família porque achava que aquela conexão mais profunda estava prestes a acontecer. Achava que ia acordar um dia, olhar para ela e tudo faria sentido, como se o pedaço que faltava no quebra-cabeça fosse aparecer.

Eu percebi que ele disse que a amava, no passado.

— E você sentiu essa conexão em algum momento, afinal?

— Não, não do jeito que eu imaginava. Mas senti algo parecido com isso, uma espécie de intensidade que me mostrou que a conexão pode vir a existir.

— E quando foi isso?

— Foi há algumas semanas — diz, cauteloso. — No banheiro de uma cafeteria, com uma mulher que não era a minha.

Ele me beija assim que termina de dizer essa frase, como se não quisesse que eu reagisse. Talvez esteja se sentindo culpado por dizer isso. Culpado por sentir uma conexão momentânea comigo depois de anos tentando sentir a mesma coisa com a mulher.

Ainda que ele tenha evitado minha reação àquela confissão, posso sentir algo crescendo dentro de mim. É como se aquelas palavras entrassem e se expandissem em meu peito. Ele me puxa para mais perto e fecho os olhos, aninhada em seu peito. Não falamos mais nada e caímos no sono.

Acordo duas horas depois, com a voz dele em meu ouvido.

— Merda. — Ele senta na cama e puxa as cobertas com ele. — *Merda*.

Esfrego os olhos e me deito de costas.

— O que houve?

— Eu não queria cair no sono. — Jeremy levanta e começa a pegar as roupas. — Não posso estar aqui quando Crew acordar.

Ele me dá dois beijos e caminha até a porta. Vira a chave e depois puxa a maçaneta.

A porta não se mexe.

Ele gira a maçaneta enquanto eu me sento na cama, cobrindo os seios com o lençol.

— Merda — diz novamente. — A porta está emperrada.

Algo se esvai dentro de mim. De repente, todo o prazer da noite passada se foi. Estou de volta à situação de me sentir destruída dentro desta maldita casa. Balanço a cabeça, mas Jeremy está olhando para a porta.

— Não está emperrada — digo em voz baixa. — Está trancada. Pelo lado de fora.

Jeremy se vira para mim, seu rosto começando a ficar preocupado. Ele tenta puxar a porta com ambas as mãos. Quando se dá conta de que estou certa, e que a porta está trancada por fora, começa a bater nela. Continuo onde estou, apavorada com o que ele pode encontrar quando a porta finalmente se abrir.

Jeremy tenta de tudo para abrir a porta, até que resolve começar a chamar por Crew.

— Crew! — grita, batendo na porta.

E se ela o levou embora?

Não sei se ela faria isso. Ela nem gosta dos filhos. Mas gosta de Jeremy. Ela *ama* Jeremy. Se Verity sabia que ele estava no quarto comigo, pode ter levado Crew por vingança.

Jeremy ainda não está pensando nisso. Na cabeça dele, Crew está pregando uma peça na gente. Ou a fechadura trancou acidentalmente quando ele fechou a porta ontem à noite. Essas são as únicas explicações possíveis para ele. Neste momento, está aborrecido, mas não preocupado.

Ele olha para o relógio na cabeceira e bate à porta novamente.

— Crew, abra a porta! — Ele apoia a testa na porta. — April vai chegar em breve — diz, em voz baixa. — Ela não pode nos encontrar aqui juntos.

Essa é sua preocupação?

Eu aqui pensando que a mulher dele raptou o filho no meio da noite, e ele preocupado que a enfermeira o flagre transando com a hóspede.

— Jeremy?

— O quê? — diz, ainda batendo na porta.

— Sei que não acha isso possível, mas... você trancou a porta do quarto de Verity ontem?

Ele faz uma pausa nas batidas.

— Não me lembro — responde, cauteloso.

— Se por algum motivo bizarro foi Verity que nos trancou... Crew talvez não esteja mais aqui.

Quando ele me encara, seus olhos estão cobertos de medo. Num piscar de olhos, vai até o outro lado do quarto para abrir a janela. Ele consegue levantar, mas há dois painéis de vidro, e um deles não está abrindo. Sem hesitar, Jeremy pega uma das fronhas do travesseiro, enrola na mão e dá um soco no vidro. Chuta o que restou e sai pela janela.

Alguns segundos depois, ouço-o abrir a porta do quarto por fora e seguir para a escada. Ele já está no quarto de Crew antes mesmo de eu conseguir sair do quarto principal. Depois, escuto Jeremy correndo pelo corredor até o quarto de Verity. Quando ele volta ao topo da escada, meu coração está saindo pela boca.

Ele balança a cabeça e curva o corpo, segurando os joelhos, sem fôlego.

— Eles estão dormindo.

Ele se agacha, como se os joelhos não estivessem aguentando, e passa as mãos pelo cabelo.

— Os dois estão dormindo — diz mais uma vez, aliviado.

Estou aliviada. Mas não estou. Minha paranoia está começando a atingir Jeremy.

Não estou ajudando nada ao levantar essas dúvidas. April chega pela porta de entrada segundos depois. Ela olha para mim e depois para Jeremy, agachado no topo da escada. Ele olha de relance e vê que April o encara.

Jeremy se levanta, desce a escada, abre a porta e vai lá para fora, sem dirigir o olhar a mim ou a April.

A enfermeira olha para mim e depois para a porta.

Dou de ombros.

— Jeremy teve uma noite difícil com Crew.

Não sei se ela acredita nisso, mas sobe a escada como se não desse a mínima se estou dizendo a verdade. Vou até o escritório e fecho a porta. Pego o restante do manuscrito. Preciso terminá-lo hoje. Preciso saber como termina, saber se *tem* um final. Porque cheguei num ponto em que acho necessário mostrar esse manuscrito a Jeremy. Ele precisa saber que estava certo ao sentir aquela falta de conexão. Porque ele não a conhece de verdade.

Há algo de muito errado nesta casa e, enquanto ele não estiver tão desconfiado da mulher quanto eu, sinto que alguma coisa ainda vai acontecer. É inevitável.

Afinal, esta casa é cheia de Crônicos. Já passou da hora de acontecer a próxima tragédia.

Capítulo Quatorze

É fácil me lembrar perfeitamente da manhã em que Harper morreu porque aconteceu há alguns dias. Lembro o cheiro que ela emanava. *Cheiro de óleo. Ela não tinha lavado o cabelo por dois dias.* Lembro o que ela vestia. *Uma legging roxa, camisa preta e um suéter de tricô.* Lembro o que ela fazia. *Estava sentada à mesa com Crew, colorindo desenhos.* Lembro a última coisa que Jeremy disse a ela. *Eu te amo, Harper.*

Fazia seis meses que Chastin havia morrido. Quer dizer que eu estava há 182 dias guardando rancor da criança que tinha sido responsável por aquilo.

Jeremy tinha dormido no segundo andar na noite anterior. Crew chora chamando por ele quase toda noite. Por isso, nos últimos dois meses, ele está dormindo no quarto de hóspedes do segundo andar. Tentei dizer a ele que isso não era bom para Crew, que ele o estava mimando. Mas Jeremy não me escuta mais. Seu único foco são as duas crianças que sobraram.

É estranho que ter uma criança a menos para ele se preocupar acaba demandando ainda mais de sua atenção.

Transamos quatro vezes desde que Chastin morreu. Ele não consegue mais ficar duro quando eu tento. Nem quando chupo seu pau. A pior parte é que ele nem parece estar ligando. Ele podia tomar Viagra, mas se recusa. Diz que só precisa de mais tempo para se acostumar à vida sem Chastin.

Tempo.

Sabe quem *não* precisou de tempo? Harper.

Ela nem precisou daquele período para se acostumar logo depois que Chastin morreu. Ela nunca chorou. Nem uma lágrima. É bizarro. Não é normal. Até *eu* chorei.

Acho que faz sentido ela não chorar. A culpa faz isso com as pessoas.

Talvez a culpa esteja me fazendo escrever tudo isso.

Porque Jeremy precisa saber da verdade. Algum dia, de alguma forma, ele vai encontrar isso. E então vai perceber quanto eu o amava.

Voltando ao dia em que Harper teve o que merecia.

Estava parada na cozinha, olhando enquanto ela coloria. Ela estava mostrando a Crew como misturar duas cores para fazer uma terceira. Os dois não paravam de rir. Até entendo a risada de Crew, mas de Harper? Não tinha desculpa. Eu estava cansada de esconder a minha raiva.

— Você não está nem chateada por Chastin ter morrido?

Harper levantou a cabeça e me encarou. Estava fingindo ter medo de mim.

— Estou.

— Você não chorou. Nem uma vez. Sua irmã gêmea morreu e parece que você nem *liga*.

Dava para ver as lágrimas se formando em seus olhos. Engraçado, Jeremy acha que ela não consegue expressar emoções, mas é só alguém dar uma bronca que ela chora.

— Eu ligo, *sim* — disse. — Sinto saudade dela.

Ri na cara dela. Agora ela estava *realmente* chorando. Levantou da cadeira e saiu correndo para o quarto.

Olhei para Crew e apontei na direção de Harper.

— *Agora* ela resolve chorar.

Vai entender.

Jeremy deve ter passado por ela no segundo andar, porque consigo ouvi-lo batendo à porta.

— Harper? Querida, o que houve?

Imito Jeremy fazendo uma voz infantil.

— *Querida, o que aconteceu?*

Crew ri. Pelo menos uma criança de 4 anos me acha engraçada.

Um minuto depois, Jeremy entra na cozinha.

— O que aconteceu com Harper?

— Está com raiva — minto. — Não a deixei brincar perto do lago.

Jeremy me dá um beijo na lateral da cabeça. Sorri porque pareceu genuíno.

— Está um lindo dia lá fora — diz. — Você devia levá-los para a beira da água.

Ele estava atrás de mim, então não me viu revirando os olhos. Devia ter pensado numa desculpa melhor para o choro de Harper, porque agora ele quer que eu brinque com os dois lá fora.

— Eu quero ir na água! — disse Crew.

Jeremy pegou a carteira e as chaves.

— Vá dizer a Harper para colocar os sapatos. Sua mãe vai levar vocês. Eu volto antes do almoço.

Viro para encará-lo.

— Aonde você vai?

— Fazer compras. Eu te falei hoje mais cedo.

Ele falou mesmo.

Crew subiu correndo as escadas e eu dei um suspiro.

— Prefiro ir fazer as compras. Você pode ficar em casa e brincar com eles.

Jeremy veio em minha direção e me abraçou, encostando a testa na minha. Senti muito amor naquele gesto.

— Você não escreve há seis meses. Não sai de casa, não brinca com as crianças. — Ele me dá um abraço. — Estou preocupado com você, amor. Leve os dois lá fora por meia horinha. Só pra pegar um pouco de vitamina D.

— Acha que estou deprimida? — pergunto, me afastando. Só rindo mesmo. *Ele* é que está deprimido.

Jeremy deixa as chaves na bancada para segurar meu rosto com as duas mãos.

— Acho que estamos os dois deprimidos. E vamos ficar assim por um tempo. Precisamos cuidar um do outro.

Sorri para ele. Gostei de ele achar que estivéssemos nisso juntos. Talvez a gente estivesse. Ele me beijou e, pela primeira vez em muito tempo, o beijo tinha paixão e bem pouco luto. Parecia como nos velhos tempos. Puxei-o para perto e fiquei na ponta dos pés, deixando o beijo um pouco mais intenso. Eu o senti endurecendo sem nem precisar de muita pressão.

— Quero que durma no nosso quarto hoje — sussurrei.

Ele sorriu com os lábios ainda encostados aos meus.

— Tá bem. Mas vamos ficar mais acordados do que dormindo.

O tom de voz, o fogo em seus olhos, aquele sorrisinho. *Aí está você, Jeremy Crawford. Estava sentindo sua falta.*

Depois que ele saiu, levei as malditas crianças para brincar na água. Também levei o último livro que havia escrito para minha série. Jeremy estava certo, eu não escrevia nada havia seis meses. Precisava voltar ao trabalho. Já tinha passado meu prazo, mas a Pantem foi compreensiva por causa da "trágica morte acidental" de Chastin.

Talvez tivessem sido ainda mais compreensivos com meu prazo se soubessem o que realmente aconteceu com ela.

Crew saiu andando pelo deque em direção à canoa. Fiquei tensa porque o deque é antigo e Jeremy não gosta que eles andem por ali. Mas Crew não pesa muito, então fiquei mais tranquila.

Ele se sentou na beira do deque e colocou os pés na canoa. Fiquei surpresa por aquela canoa ainda não ter ido embora flutuando. Estava presa por um fiapo de corda.

Crew não sabe, e talvez nunca descubra isso, mas foi concebido naquela canoa. Aquela semana em que menti e disse a Jeremy que estava grávida foi a que mais transamos na vida. Tenho quase certeza de que foi na canoa que tudo aconteceu. Foi por isso que o batizei de Crew, a expressão para a tripulação de um navio. Queria um nome de tema náutico.

Sinto falta daquela época.

Sinto falta de um monte de coisas, na verdade. Principalmente, da nossa vida antes de ter filhos. Antes de ter as gêmeas.

Olhando para Crew naquele dia, à beira da água, fiquei imaginando como seria se tivéssemos só ele. Precisaríamos de mais um tempo pra nos acostumar se Harper morresse, mas acho que conseguiríamos superar. Não fui muito útil depois da morte de Chastin porque estava de luto também.

Mas se Harper morresse, eu conseguiria ajudar Jeremy a se recuperar.

Porque desta vez eu não ficaria sofrendo. Todo meu sofrimento foi para Chastin.

Talvez a maior parte do sofrimento de Jeremy tenha sido para Chastin também.

Era uma possibilidade.

Eu costumava achar que a morte de qualquer filho seria igualmente difícil. Achava que perder o segundo ou o terceiro filho seria tão sofrido quanto da primeira vez. Mas isso foi antes de perdermos Chastin. A morte dela nos fez mergulhar num luto intenso. O sofrimento preencheu todas as lacunas dentro de nós.

Se aquela canoa virasse com as crianças — e se Harper se afogasse —, talvez não houvesse espaço dentro de Jeremy para mais sofrimento. Ele já sofreu o quanto era possível.

Quando você perde um filho, é como se tivesse perdido todos.

Sem espaço para mais sofrimento e sem Harper por perto, nós três seríamos a família perfeita.

— Harper.

Ela estava longe de mim, brincando na areia. Eu me levantei e limpei a parte de trás da calça jeans.

— Venha, querida. Vamos dar uma volta de canoa com seu irmão.

Harper levantou-se animada e correu para o deque, sem saber que nunca mais pisaria em terra firme outra vez.

— Eu vou na frente — disse ela.

Fui atrás dela até a beira do deque. Ajudei Crew a subir na canoa e depois Harper. Entrei e sentei na canoa também. Usei o remo para nos afastar da margem.

Eu estava sentada na parte de trás da canoa. Crew estava no meio. Remei até o meio do lago e eles ficaram inclinados na beira do barco, com as mãos na água.

Olhei em volta. O lago estava calmo. Morávamos num terreno com um pedaço de margem de 600 metros, então não é como se tivesse muito movimento. Estava um dia bem tranquilo.

Harper se sentou e secou as mãos na legging. Ela virou de costas para Crew e eu.

Eu me inclinei para perto de Crew, cobri a boca com a mão e falei baixinho.

— Crew, querido. Prenda a respiração.

Segurei na beira do barco e coloquei todo o meu peso para a direita.

Ouvi um pequeno grunhido. Não sei se veio de Crew ou Harper, mas depois desse grunhido e do impacto inicial na água não ouvi mais nada. Apenas pressão. Senti aquela pressão silenciosa nos ouvidos enquanto chutava e me debatia até conseguir chegar à superfície.

Ouvi esguichos de água. Gritos de Harper. Gritos de Crew. Nadei até ele e o segurei em meus braços. Olhei de volta para a casa, torcendo para conseguir nadar com ele até a margem. Estávamos mais longe do que imaginei.

Comecei a nadar. Harper começou a gritar.

Esguichos de água.

Continuei a nadar.

Ela continuou a gritar.

Silêncio.

Ouvi mais um esguicho.

Mais silêncio.

Continuei nadando sem olhar para trás, até sentir a lama em meio aos meus dedos. Segurei na borda do lago como se fosse um salva-vidas. Crew estava engasgando, tossindo, agarrado a mim. Foi mais difícil do que eu imaginava mantê-lo na superfície.

Jeremy me agradeceria por isso. Por salvar Crew.

Ele ficaria devastado, é claro, mas agradecido também.

Fiquei imaginando se dormiríamos na mesma cama naquela noite. Ele estaria exausto, mas ia querer dormir comigo, me abraçar, garantir que eu estivesse bem.

— Harper! — Crew gritou assim que seus pulmões se viram livres da água.

Cobri sua boca e o arrastei sem muito cuidado pela areia até a margem. Seus olhos estavam arregalados de medo.

— Mamãe — disse, chorando, apontando para a água atrás de mim. — Harper não sabe nadar.

Eu estava cheia de areia, nas mãos, nos braços, nas coxas. Meus pulmões ardiam. Crew tentou voltar para a água, mas eu o puxei pela mão e o obriguei a se sentar. As ondas, por conta da agitação da água, ainda batiam em meus pés. Olhei para o lado e não havia mais nada. Nada de gritos. Nada de esguichos.

Crew estava ficando cada vez mais histérico.

— Eu tentei salvá-la — sussurrei para ele. — Mamãe tentou salvá-la.

— Vai buscar ela! — gritou Crew, apontando para o lago.

Fiquei imaginando quão suspeito ia parecer se ele dissesse às pessoas que não voltei para a água. A maioria das mães não sairia do lago até encontrar a filha. Eu precisava voltar lá.

— Crew, precisamos salvar Harper. Você lembra como usar o celular da mamãe para ligar pro papai?

Ele assentiu, secando as lágrimas das bochechas.

— Então vá. Entre em casa e ligue para o papai. Diga a ele que a mamãe está tentando salvar Harper e que ele precisa ligar para a polícia.

— Tá bom! — respondeu, correndo para a casa.

Ele era um irmão tão bonzinho.

Estava morrendo de frio e sem fôlego, mas me arrastei de volta para a água.

— Harper? — disse, bem baixo, com medo que ela realmente ouvisse e de repente voltasse à superfície.

Fiquei um tempo na água. Não queria ir muito longe e arriscar esbarrar nela. Vai que ela ainda estivesse viva e puxasse minha camisa? Ou pior: tentasse me puxar para debaixo d'água?

Mas sabia que precisava estar lá fora quando Jeremy chegasse. Precisava estar chorando. Com frio. À beira da hipotermia. Ganharia uns pontos se ainda fosse levada de ambulância para o hospital.

A canoa estava virada de cabeça para baixo, mais perto da margem do que quando virou. Jeremy e eu já viramos a canoa de ponta cabeça antes, e eu sabia que, naquela posição, ela formava alguns bolsões de ar. E se Harper tivesse conseguido nadar até lá? E se estivesse apoiada e escondida debaixo da canoa? Só esperando para contar ao pai o que eu havia feito?

Fui nadando até a canoa. Fui devagar, com medo de tocá-la. Quando cheguei ao barco virado, prendi a respiração, mergulhei e entrei por baixo da canoa.

Graças a Deus.

Ela não estava lá.

Graças a Deus.

Ouvi Crew me chamando ao longe. Mergulhei novamente para sair de baixo da canoa. Comecei a gritar o nome de Harper, com a voz cheia de pânico, como uma mãe realmente desesperada faria.

— Harper!

— Papai está vindo — gritou Crew lá da margem.

Comecei a gritar o nome de Harper ainda mais alto. A polícia chegaria logo, antes mesmo de Jeremy.

— Harper!

Mergulhei diversas vezes para ficar sem fôlego. Fiz isso até mal conseguir me manter na superfície. Gritei o nome dela sem parar até que um policial veio e me tirou da água.

Continuei a gritar o nome dela, de vez em quando revezando com um "minha filha" e "minha bebezinha".

Havia uma pessoa na água procurando por ela. De repente havia duas. Depois três. Então alguém passou correndo por mim, em direção ao deque, e mergulhou de cabeça na água. Quando emergiu, vi que era Jeremy.

Não consigo nem descrever o olhar em seu rosto enquanto gritava por ela. Era um misto de determinação, horror e psicose.

Comecei a chorar de verdade àquela altura. Estava histérica. Queria sorrir por dentro por parecer tão apropriadamente histérica, mas isso não aconteceu porque parte de mim já sabia que eu tinha feito besteira. Dava para ver no rosto de Jeremy. Desta vez seria ainda mais difícil para ele se recuperar do que foi com Chastin.

Não imaginei que seria assim.

Quando finalmente encontraram o corpo, ela já estava debaixo d'água havia mais de meia hora. Ficou presa numa rede de pesca. De onde eu estava, não dava para ver se era verde ou amarela. No entanto, eu me lembrava de Jeremy ter perdido uma rede amarela no ano anterior. Quais eram as chances de eu virar a canoa exatamente no lugar em que a rede estava enroscada? Se a rede não estivesse lá, Harper provavelmente teria conseguido chegar à margem.

Depois de a desenroscarem da rede, os homens ajudaram Jeremy a levá-la até o deque. Ele tentou fazer massagem cardíaca até os paramédicos chegarem. Mesmo depois disso, Jeremy não queria parar.

Ele só parou quando não tinha mais opção. O deque começou a ceder, e Jeremy caiu rolando pela beirada, ainda conseguindo segurar o corpo de Harper com os braços. Três outros homens ficaram no deque, tentando resgatar o corpo de volta.

Será que aquele momento iria assombrá-lo para sempre? Ter que pegar o corpo da filha enquanto caía em cima dele na água?

Ele não queria largá-la. Conseguiu ficar em pé no lago e a carregou até a margem. Quando chegou à areia, desabou, ainda a segurando. Estava com o rosto em seus cabelos ensopados e pude ouvi-lo sussurrando para ela.

— Eu te amo, Harper. Eu te amo, Harper. Eu te amo, Harper.

Disse isso sem parar enquanto a abraçava. Eu me senti mal ao ver aquela tristeza. Fui me arrastando até ele, até ela, e abracei os dois.

— Eu tentei salvá-la — murmurei. — Tentei salvá-la.

Ele não largava Harper. Os paramédicos tiveram que arrancá-la de seus braços. Jeremy me deixou lá, com Crew, e foi andando até a ambulância.

Ele não me perguntou o que aconteceu. Não disse que estava indo embora. Nem olhou para mim.

A reação dele não foi bem como eu havia planejado, mas entendi que ele estava em choque. Ele ia se acostumar. Só precisava de tempo.

20

Seguro o vaso com força para vomitar. Já estava enjoada antes mesmo de terminar o capítulo. Estou tremendo, como se tivesse estado lá. Como se tivesse testemunhado em primeira mão o que aquela mulher fez com a filha. *Com Jeremy.*

Apoio a testa no braço, sem saber o que fazer.

Devo contar a alguém? Devo contar a Jeremy? Devo ligar para a polícia?

O que a polícia poderia fazer com ela?

Eles a trancariam em um hospital psiquiátrico. Jeremy estaria livre de Verity.

Escovo os dentes encarando meu próprio reflexo. Enxáguo a boca, me levanto e limpo a boca. Ao mover a mão pelo rosto, consigo ver minha cicatriz no espelho. Nunca pensei que essa cicatriz se tornaria insignificante para mim, mas estou começando a me sentir assim. O que passei com minha mãe não é nada comparado a isso.

O que aconteceu entre nós foi um afastamento. Um laço quebrado.

Isso foi *assassinato.*

Procuro meu Xanax na bolsa. Seguro o comprimido na mão fechada e vou andando até a cozinha. Tiro um copo do armário e encho com Crown Royal até a borda. Pego o copo para beber bem na hora que April está passando pelo corredor. Ela para e fica me encarando.

Encaro de volta, enfio o comprimido na boca e viro o uísque.

Volto para meu quarto e tranco a porta. Fecho o blecaute no lugar onde a janela ficou quebrada para impedir o sol de entrar.

Fecho os olhos e me cubro até a cabeça para pensar no que fazer.

***

Acordo um pouco mais tarde sentindo um calor humano pelo corpo. Algo toca meus lábios. Abro os olhos.

Jeremy.

Dou um suspiro já com nossas bocas encostadas, enquanto ele se ajeita em cima de mim. O conforto daqueles lábios é muito bem-vindo. Ele nem sabe que toda a tristeza que aqueles lábios estão ajudando a afastar é tristeza que sinto por *ele*, por uma situação sobre a qual ele nem sabe.

Tiro as cobertas do caminho para que nada fique entre nós. Ele me beija e rola para o lado, me puxando para cima.

— São duas da tarde — sussurra. — Você está bem?

— Estou — minto. — Só estou cansada.

— Eu também. — Ele passeia com os dedos por meu braço e pega minha mão.

— Como entrou aqui? — pergunto, lembrando que a porta estava trancada por dentro.

Ele sorri.

— Pela janela. April levou Verity ao médico e Crew só volta da escola daqui a uma hora.

O que restava de tensão dentro de mim de repente desaparece com aquela notícia. Saber que Verity não está em casa me traz uma paz instantânea.

Jeremy deita a cabeça em meu peito, olhando para os meus pés e explorando minha virilha com os dedos.

— Dei uma olhada na tranca da porta. Parece que, se fechar a porta com força, ela tranca sozinha.

Não respondo porque não tenho certeza se acredito nisso. Certamente pode ter sido isso, mas acho que há mais chances de ter sido Verity.

Jeremy levanta minha camiseta — uma das camisetas dele, por sinal. Beija o espaço entre meus seios.

— Gosto quando você usa minhas camisetas.

Passo os dedos por seus cabelos e dou um sorriso.

— Gosto quando elas têm seu cheiro.

Ele ri.

— Eu tenho cheiro de quê?

— Petricor.

Ele passa os lábios na minha barriga.

— Nem sei o que isso significa. — Sua boca está na minha pele e a voz sai como um resmungo.

— É a palavra usada para descrever aquele cheiro de chuva fresca depois de um período seco.

Ele traz a boca para perto da minha.

— Não sabia que existia uma palavra para isso.

— Existe palavra para tudo.

Ele me beija rapidamente e depois se afasta. Franze as sobrancelhas e pergunta:

— Existe palavra para o que estou fazendo agora?

— Provavelmente. A que você está se referindo exatamente?

Ele passa os dedos pelo meu queixo.

— Isso — diz, em voz baixa. — Me apaixonar por uma mulher quando eu não devia.

Meu coração fica apertado, apesar da confissão. Odeio que ele se sinta culpado pelo que está sentindo. Mas entendo. Não importa qual é a situação do casamento ou da mulher, ele está dormindo com outra na cama deles. Não há muita justificativa para isso.

— Você se sente culpado? — pergunto.

— Sinto. — Ele me olha em silêncio por um momento. — Mas não culpado o suficiente para parar — diz, e deita a cabeça no travesseiro ao meu lado.

— Mas vamos ter que parar. Eu preciso voltar para Manhattan. E você é casado.

Os olhos dele parecem estar guardando pensamentos que ele não quer expressar. Ficamos em silêncio olhando um para o outro por um momento. Ele se inclina e me beija.

— Pensei no que você falou ontem à noite na cozinha.

Não respondo, com medo do que ele está prestes a dizer. Será que estava mesmo aberto ao que eu disse? Ele concorda que sua qualidade de vida é tão importante quanto a de Verity?

— Liguei para um centro de enfermagem que vai cuidar dela durante a semana, começando na segunda. Ela vai vir pra casa três fins de semana por mês. — Ele espera minha reação.

— Acho que essa é a melhor solução para vocês três.

Parece que estou vendo o luto começar a evaporar em tempo real. Para ele, para esta casa. O vento sopra pela janela, a casa está silenciosa, Jeremy parece estar em paz. É nesse momento que decido o que vou fazer com o manuscrito.

Nada.

Provar que Verity matou Harper não faria Jeremy se sentir melhor. Só o faria se sentir pior. Abriria novas feridas. Aumentaria ainda mais as velhas feridas.

Não estou convencida de que é seguro ficar com Verity em casa, mas há maneiras de lidar com isso daqui para frente. Acho que Jeremy precisa de mais segurança. Um monitor conectado a um sensor de movimento no quarto de Verity quando ela estiver aqui, nos fins de semana. Se ela estiver fingindo, ele vai descobrir. E, se descobrir, nunca mais vai deixar que chegue perto de Crew.

E, num centro de enfermagem, ela vai ser muito mais monitorada.

Parece que agora está tudo bem. Está tudo mais seguro.

— Fique por mais uma semana — pede Jeremy.

Eu pretendia ir embora amanhã de manhã, mas, agora que sei que Verity não estará aqui, fico animada com a ideia de passar a semana inteira com ele, sem April e sem Verity.

— Tudo bem.

Ele levanta a sobrancelha.

— Você quis dizer *tudo certo*.

Sorrio.

— Tudo certo.

Jeremy dá mais um beijo em minha barriga e depois volta para cima de mim.

Ele nem tira minha camisa ao me penetrar. Fazemos amor por tanto tempo que meu corpo se acostuma a seus movimentos. Quando começo a sentir os músculos de seus braços ficando tensos, não quero que acabe. Não quero que ele saia de dentro de mim.

Eu o envolvo com as minhas pernas e trago sua boca até a minha. Ele geme e penetra ainda mais fundo. Ele está me beijando no momento em que goza, os lábios rígidos, a respiração ofegante e nenhuma tentativa de tirar antes. Depois desaba, ainda dentro de mim.

Ficamos em silêncio porque os dois se dão conta do que acabou de acontecer. Mas não falamos sobre isso.

Depois que retoma o fôlego, Jeremy sai de dentro de mim e leva os dedos até o vão entre as minhas pernas. Fica me olhando enquanto me toca, esperando que eu goze. Não me preocupo com o barulho que estou fazendo porque estamos sozinhos em casa, e é maravilhoso.

Quando terminamos, relaxo deitada na cama e ele me beija uma última vez.

— Preciso sair daqui antes que todos cheguem em casa.

Sorrio enquanto olho ele se vestindo. Ele me dá um beijo na testa e vai até a janela, por onde sai.

Não sei por que não saiu pela porta, mas achei engraçado.

Puxo um travesseiro para cobrir o rosto e sorrio. O que está acontecendo comigo? Esta casa deve estar mexendo com minha cabeça, porque passo metade do tempo querendo sair correndo daqui, e a outra metade não querendo ir embora nunca.

Aquele manuscrito certamente está mexendo com minha cabeça. Parece que estou me apaixonando por esse cara, mas só o conheço há algumas semanas. Não estou me apaixonando por Jeremy na vida real. Estou apaixonada por causa das palavras de Verity. As revelações dela me mostraram que tipo de pessoa ele é, e ele merece mais do que ela. Quero dar àquele homem o que ela nunca deu.

Ele merece alguém que coloque o amor pelos filhos dele como prioridade.

Tiro o travesseiro do rosto e coloco embaixo dos quadris, assim o que ele deixou aqui dentro de mim não vai escorrer para fora.

21

Quando voltei a dormir, sonhei com Crew. Ele estava mais velho, com uns 16 anos. Nada de importante aconteceu no sonho ou, se aconteceu, não me lembro. Só me lembro do que senti ao olhar nos olhos dele. Ele era mau. Era como se tudo o que ele viu, o que Verity o fez passar, tivesse se entranhado em sua alma e seguido com ele ao longo da infância.

Já se passaram várias horas desde que acordei, mas não consigo parar de questionar se a decisão de não dizer nada a respeito do manuscrito é a melhor opção para Crew. Ele viu a irmã se afogar. Viu a mãe não fazer nada para ajudá-la. E, mesmo sendo muito pequeno, é possível que carregue essa memória. Crew sempre vai saber que ela o mandou prender a respiração antes de virar a canoa de propósito.

Estamos só Crew e eu na cozinha. April foi embora há mais ou menos uma hora, e Jeremy está lá em cima colocando Verity para dormir. Estou sentada à mesa da cozinha, comendo biscoitos com manteiga de amendoim, olhando para Crew enquanto ele joga no iPad.

— O que está jogando?

— *Toy Blast.*

Pelo menos não é *Fallout* ou *Grand Theft Auto*. Ainda há esperanças para ele.

Crew olha pra mim enquanto dou uma mordida no biscoito. Ele deixa o iPad de lado e vem se arrastando por cima da mesa.

— Quero um.

Dou uma risada ao vê-lo engatinhar por cima da mesa para alcançar a manteiga de amendoim. Dou a faca de manteiga a ele. Ele passa uma porção imensa em um dos biscoitos e dá uma mordida, sentado sobre os joelhos. Seus olhos são pura animação.

— Tá muito bom!

Crew lambe a manteiga de amendoim que ficou na faca e eu faço cara de nojo, franzindo o nariz.

— Que nojento! Não era pra você lamber a faca.

Ele ri, como se tivesse achado graça.

Recosto na cadeira, admirando o garoto. Mesmo com tudo o que passou, ele é um ótimo menino. Não reclama, é quietinho e vê humor nas pequenas coisas. Não acho mais que ele seja um "babaquinha", como pensei no dia em que o conheci.

Sorrio para ele, para sua inocência. E, mais uma vez, estou imaginando se ele tem alguma memória daquele dia. Talvez as memórias de Crew pudessem determinar qual é a melhor opção de terapia para ele. Como o próprio pai não tem noção do que Verity fez o menino passar, sinto que tenho a responsabilidade de averiguar. Sou eu que tenho o manuscrito. Sou eu quem precisa dizer a Jeremy se eu achar que seu filho sofreu mais danos do que ele pensa.

— Crew — digo, pegando o pote de manteiga de amendoim e girando entre os dedos. — Posso fazer uma pergunta?

Ele responde com um aceno bem exagerado.

— Pode.

Sorrio, tentando deixá-lo confortável com minha linha de raciocínio.

— Você já teve uma canoa?

Ele para no meio do gesto de lamber a faca novamente.

— Tive.

Tento encontrar em seu rosto pistas de que eu deveria parar, mas não há. Então continuo.

— E você brincava com ela? Na água?

— Brincava.

Crew lambe a faca de novo e fico aliviada porque ele não parece incomodado com a conversa. Talvez não se lembre de nada. Ele só tem 5 anos; sua percepção da realidade é diferente da de um adulto.

— Você se lembra de brincar na canoa? Com sua mãe? E Harper?

Crew não assente com a cabeça nem diz que sim. Fica apenas me olhando e não sei dizer se está com medo de responder ou simplesmente não se lembra. Ele olha para a mesa, quebrando o contato visual comigo. Põe a faca de volta no pote e depois na boca, fechando os lábios sobre ela.

— Crew — digo, chegando mais perto e colocando a mão gentilmente em seu joelho. — Por que o barco virou?

Seus olhos voltam a me encarar. Ele tira a faca da boca só por um momento.

— Mamãe disse pra não falar com você se perguntasse sobre ela.

Sinto meu rosto empalidecer enquanto, distraído, ele lambe a faca de novo. Eu me seguro na borda da mesa com força, as juntas dos dedos brancas.

— Ela... Sua mãe fala com você?

Crew me encara por alguns segundos sem dar nenhuma resposta, e então nega com a cabeça. Seu olhar é de arrependimento. Ele percebe que não devia ter dito aquilo.

— Crew, sua mãe finge que não consegue falar?

Os dentes de Crew travam enquanto a faca ainda está em sua boca. Vejo a faca deslizando dos dentes para a gengiva.

O sangue começa a escorrer pelos lábios dele. Levanto da cadeira tão rápido que ela cai, seguro o cabo da faca e puxo para fora da boca de Crew.

— Jeremy!

Cubro a boca de Crew com a mão, olhando em volta para tentar encontrar uma toalha. Não há nada por perto. Crew não está chorando, mas seus olhos estão cheios de pavor.

— Jeremy! — Estou gritando, em parte porque preciso de ajuda com Crew, em parte porque também estou apavorada com o que acabou de acontecer.

Jeremy chega e está na frente de Crew, inclinando a cabeça para olhar dentro de sua boca.

— O que aconteceu?

— Ele... — Mal consigo falar. Estou sem ar. — Ele mordeu a faca.

— Ele precisa de pontos — diz Jeremy, pegando Crew no colo rapidamente. — Pegue as chaves do carro. Estão na sala.

Corro até a sala e pego as chaves de Jeremy na mesa. Vou até o jipe na garagem. Crew está chorando, como se agora de fato tivesse começado a sentir a dor. Jeremy abre a porta de trás e coloca Crew na cadeirinha. Abro a porta da frente para entrar no carro.

— Lowen — diz Jeremy. Viro para trás assim que ele fecha a porta de Crew. — Não posso deixar Verity aqui sozinha. Preciso que você fique.

Meu coração despenca até o fundo do meu estômago. Antes mesmo que eu possa argumentar, Jeremy está me ajudando a sair do jipe.

— Ligo pra você quando ele for atendido.

Ele pega as chaves da minha mão e fico ali, imóvel, vendo-o sair da garagem. Ele manobra o jipe e sai pela estrada.

Olho para minhas mãos, cobertas pelo sangue de Crew.

Não quero mais ficar aqui, não quero, não quero. Odeio esse trabalho.

Depois de alguns segundos, me dou conta de que não importa o que eu quero. Eu estou aqui, Verity também está, então preciso deixar a porta dela bem trancada. Volto correndo para a casa e subo as escadas até o quarto. A porta está escancarada, provavelmente porque Jeremy desceu com pressa.

Ela está na cama. O lençol só está cobrindo metade do corpo, e uma das pernas está pendurada. Provavelmente Jeremy ouviu meus gritos antes de conseguir colocá-la na cama por completo.

Não é problema meu.

Bato a porta com força e tranco, depois fico pensando o que mais posso fazer para garantir minha segurança. Corro lá para baixo ao me lembrar de ter visto a babá eletrônica no porão. O último lugar onde quero ir é naquele porão, mas uso o medo como combustível para descer as escadas, usando a lanterna do celular. Quando vim aqui embaixo com Jeremy, não prestei muita atenção na arrumação. Mas sei que algumas das caixas estavam fechadas.

Ao iluminar o cômodo, percebo que quase todas as caixas foram mexidas e abertas, como se alguém estivesse procurando por algo. Só a possibilidade de ter sido Verity torna minha missão ainda mais urgente. Não quero ficar aqui embaixo por mais tempo que o necessário. Vou até o lado do porão onde vi a babá eletrônica saindo de uma das caixas.

Não está mais lá.

Quando estou prestes a desistir por medo de ficar aqui, vejo a caixa com a babá eletrônica um pouco mais longe. Pego o monitor e o receptor e volto para as escadas com o coração saindo pela boca enquanto subo os degraus. É um alívio enorme quando abro a porta e saio dali.

Desenrolo os fios e ligo o monitor numa tomada próxima ao computador de Verity. Corro de volta lá para cima, mas, antes de chegar ao topo da escada, paro. Volto lá para baixo. Vou até a cozinha e pego uma faca.

Ao voltar para o quarto de Verity, posiciono a faca em uma das mãos e destranco a porta. Ela não se moveu. A perna ainda está pendurada para fora da cama. Ando até a cômoda, sempre com as costas para a parede, ligo a outra metade da babá eletrônica e viro na direção da cama.

Volto para a porta, mas hesito antes de sair do quarto. Ainda segurando a faca, volto para dentro do quarto e levanto a perna de Verity o mais rápido que consigo. Depois jogo o lençol por cima dela, coloco a grade da cama, saio rápido para o corredor e bato a porta.

Tranco.

Puta que pariu.

Estou ofegante ao voltar para a pia da cozinha. Lavo o sangue das mãos, que já está seco. Limpo também o sangue da mesa e do chão. Então volto para o escritório e sento em frente ao monitor.

Deixo meu celular prontinho no modo vídeo para o caso de ela se mexer. Se ela se mexer... quero que Jeremy veja.

Fico esperando.

Durante uma hora eu espero. Fico olhando o celular, esperando a ligação de Jeremy. Fico olhando o monitor, esperando as mentiras de Verity. Estou muito assustada para sair do escritório e fazer qualquer outra coisa a não ser esperar. As pontas dos meus dedos estão ficando doloridas de tanto bater na mesa.

Quando mais meia hora se passa, começo a duvidar de mim mesma. *Ela já devia ter se mexido a essa altura.* Principalmente porque ela nem tinha aberto os olhos. Verity não me viu colocar o monitor lá porque seus olhos estavam fechados. Ela não tem como saber que a babá eletrônica está lá.

A não ser que tenha aberto os olhos enquanto eu descia as escadas. Se for isso, ela viu o monitor e sabe que a estou observando.

Balanço a cabeça. *Essa mulher está me deixando louca.*

Só tem mais um capítulo do manuscrito. Preciso resolver essa história se vou ficar nesta casa mais uma semana. Não posso ficar nesse vai e vem, uma hora pensando que estou em perigo, outra achando que estou louca. Pego as últimas páginas e mantenho a cadeira virada para o monitor. Vou ler e, ao mesmo tempo, ficar atenta aos movimentos dela.

Capítulo Quinze

Apenas alguns dias se passaram desde a morte de Harper, mas parece que minha vida virou de cabeça para baixo. A polícia pegou meu depoimento. Duas vezes. É compreensível que eles quisessem garantir que não havia furos na minha história. É o trabalho deles. As perguntas eram simples. Fáceis de responder.

— *Pode explicar o que aconteceu?*

— Harper se debruçou na borda da canoa. Ela virou. Todos afundamos, mas Harper nunca voltou à superfície. Tentei encontrá-la, mas estava ficando sem fôlego e precisava levar Crew até um lugar seguro.

— *Por que as crianças não estavam com coletes salva-vidas?*

— A gente achou que estava no raso. Estávamos tão perto do deque no começo, mas depois... não estávamos mais.

— *Onde estava seu marido?*

— Jeremy tinha ido ao mercado. Ele me sugeriu que levasse as crianças para a água antes de sair.

Respondi todas as questões em meio a períodos de choro desesperado. De vez em quando eu me contorcia, como se a morte dela estivesse me afetando fisicamente. Minha atuação estava tão boa que se sentiram desconfortáveis em me fazer mais perguntas.

Quisera eu tivesse acontecido o mesmo com Jeremy.

Ele tem sido pior que os policiais.

Ele não tira os olhos de Crew desde que Harper morreu. Nós três estamos dormindo no quarto principal no andar de baixo. Crew dorme sempre entre a gente. Mais uma vez Jeremy e eu fomos separados por uma criança. Mas esta noite foi diferente. Eu disse a Jeremy que queria abraçá-lo, então ele colocou Crew ao seu lado e se deitou no meio. Fiquei enroscada nele por meia hora, na esperança de que dormíssemos naquela posição, mas ele não parava com as malditas perguntas.

— Por que os levou para andar de canoa?

— Eles quiseram ir.

— Por que eles não estavam com colete salva-vidas?

— Pensei que íamos ficar só perto da margem.

— Qual foi a última coisa que ela disse?

— Não me lembro.

— Ela ainda estava na superfície quando você chegou à margem com Crew?

— Não. Acho que não.

— Você sabia que a canoa estava prestes a virar?

— Não. Tudo aconteceu tão rápido.

As perguntas pararam por um tempo, mas eu sabia que ele ainda estava acordado. Finalmente, depois de muitos minutos de silêncio, ele voltou a falar:

— É que não faz sentido.

— O que não faz sentido?

Jeremy se afastou, deixando um espaço entre meu rosto e seu peito. Ele queria que eu olhasse para ele, então levantei a cabeça.

Ele tocou minha bochecha gentilmente, com a parte de trás dos dedos.

— Por que pediu para Crew prender a respiração, Verity?

Foi o momento em que eu soube que tudo estava acabado.

Foi o momento em que *ele* soube que tudo estava acabado.

Um homem que achava que conhecia sua mulher...

Essa foi a primeira vez que ele realmente entendeu meu olhar. Não importava o quanto eu tentasse convencê-lo... ele nunca acreditaria na minha palavra contra a de Crew. Ele não era esse tipo de cara. Jeremy era o tipo que colocava os filhos à frente da própria mulher, e essa era a única coisa da qual eu não gostava nele.

Mas eu tentei. Tentei convencê-lo. É difícil ser convincente quando há lágrimas escorrendo pelo rosto e sua voz está trêmula.

— Eu disse isso na hora que estávamos virando. Não antes.

Ele ficou me olhando por um instante. E depois me soltou. Afastou-se de mim naquela que eu sabia que seria a última vez. Virou-se para o outro lado e abraçou Crew, como se fosse seu segurança.

Seu protetor.

Para protegê-lo de *mim*.

Tentei ficar parada para que ele achasse que eu estava dormindo, mas só consegui chorar em silêncio. Quando as lágrimas começaram a ficar mais intensas, fui para o escritório e fechei a porta antes que Jeremy me ouvisse soluçar.

No escritório, comecei a digitar. Mas sinto que não há nada mais a dizer. Nenhum futuro sobre o qual escrever. Nenhum passado para redimir.

Cheguei ao fim da minha história?

Não sei o que acontece depois. Eu pude prever o assassinato de Chastin, mas não posso fazer o mesmo com minha vida.

Ela vai terminar pelas mãos de Jeremy? Ou *pelas minhas próprias mãos*?

Ou talvez não termine. Talvez Jeremy acorde amanhã e me veja dormindo ao seu lado. Talvez se lembre dos bons tempos, de todos os boquetes, de todas as vezes que engoli. E perceba que vamos ter mais tempo para fazer essas coisas agora que só temos um filho.

Ou... talvez ele acorde convencido de que a morte de Harper não foi um acidente. Talvez ele me entregue para a polícia. Talvez ele queira me ver sofrer pelo que fiz a ela.

Se esse for o caso... *que seja*.

Eu jogo meu carro numa árvore.

Fim.

22

Nem tenho tempo de absorver direito aquele final porque ouço o jipe de Jeremy entrando na garagem. Reúno as páginas numa pilha e olho para o monitor. Verity ainda não se mexeu.

Ele suspeitava dela?

Aperto o pescoço tentando dissipar toda a tensão que aquele capítulo impregnou em meus músculos. Como ele ainda consegue cuidar dela? Por que continua dando banho nela, trocando suas fraldas pelo resto da vida? Por que sente que ainda deve manter a promessa do casamento?

Se ele realmente acha que Verity matou Harper, como consegue ficar na mesma casa que ela?

Ouço a porta da garagem se abrindo, então saio do escritório em direção ao corredor. Jeremy está com Crew nos braços na base da escada.

— Seis pontos — sussurra. — E um monte de analgésicos. Está apagado pelo resto da noite.

Jeremy leva Crew lá para cima e o coloca na cama. Não o ouço ir até o quarto de Verity. Ele começa a descer as escadas de volta.

— Quer um café? — pergunto.

— Por favor.

Ele vai atrás de mim na cozinha, me abraça por trás e dá um suspiro em meu cabelo enquanto começo a fazer o café. Encosto minha cabeça na dele, quero fazer tantas perguntas. Mas não digo nada porque não sei por onde começar.

Enquanto o café fica pronto, eu o abraço. Ficamos abraçados na cozinha por um bom tempo. Até que ele me solta.

— Preciso tomar um banho. Tenho sangue seco no corpo inteiro.

Só então eu noto. Há gotas de sangue nos braços, manchas na camisa. Parece que essa é a nossa especialidade: ficar cobertos de sangue. Ainda bem que não sou supersticiosa.

— Vou para o escritório.

Ele me dá um beijo e sobe para o segundo andar. Espero o café ficar pronto e sirvo uma xícara para mim. Ainda não sei muito bem como abordá-lo com todas as minhas perguntas, mas depois de ler esse último capítulo, tenho muitas. Acho que vai ser uma longa noite.

Ouço o barulho do chuveiro enquanto termino de servir meu café. Levo a xícara comigo até o escritório, mas derramo tudo no chão. A xícara se despedaça. O líquido quente espirra nas minhas pernas e começa a escorrer entre meus dedos, mas não consigo me mexer.

Estou paralisada olhando para o monitor.

Verity está no chão. Apoiada nas mãos e nos joelhos.

Tento pegar meu celular ao mesmo tempo em que grito chamando por Jeremy.

— Jeremy!

Verity vira a cabeça para o lado, como se tivesse ouvido meus gritos. Antes que eu consiga abrir a câmera do celular com os dedos trêmulos, ela sobe de volta na cama. Volta à posição inicial. Completamente parada.

— Jeremy! — grito de novo, deixando cair o celular.

Corro até a cozinha e pego uma faca. Subo as escadas e vou direto ao quarto de Verity. Destranco a porta e abro.

— Levanta! — grito.

Ela não se mexe. Não tem uma mínima reação.

Arranco o lençol de cima dela.

— *Levanta*, Verity. Eu *vi* você! — Estou cheia de ódio e abaixo a grade lateral da cama de hospital. — Você não vai escapar desta vez.

Quero que Jeremy veja quem ela é antes que Verity tenha a chance de machucá-lo. Ou de machucar Crew. Seguro-a pelos tornozelos e puxo suas pernas. Ela está a meio caminho de cair da cama quando sinto alguém me arrancando dali. Ele me carrega até o corredor e me põe no chão.

— Que merda você está fazendo, Lowen? — O rosto e a voz de Jeremy estão cheios de raiva.

Dou um passo à frente, com as mãos em seu peito. Ele tira a faca da minha mão e me segura pelos ombros.

— Para com isso.

— Ela está fingindo. Eu vi! Eu juro que ela está fingindo.

Ele volta para dentro do quarto e bate a porta na minha cara. Abro a porta e ele está colocando as pernas de Verity de volta na cama. Quando ele vê que estou entrando no quarto de novo, joga as cobertas por cima de Verity e me empurra de volta para o corredor. Ele tranca a porta do quarto, me pega pelo pulso e me puxa.

— Jeremy, não. — Tento segurar sua mão, que agarra meu pulso com força. — Não deixe o Crew aqui em cima com ela.

Estou fazendo um apelo, mas ele não nota a preocupação em minha voz. Jeremy só vê o que acha que sabe, o que ele acha que flagrou. Quando chegamos ao topo da escada, paro, balançando a cabeça, me recusando a descer. *Ele precisa levar Crew para o primeiro andar.* Jeremy me segura pela cintura, me coloca por cima do ombro e me leva para baixo, direto para o quarto. Apesar da raiva, ele me coloca na cama gentilmente.

Jeremy vai até o armário. Pega minha mala, minhas coisas.

— Quero que vá embora.

Estou ajoelhada na cama. Ele está jogando minhas coisas dentro da mala.

— Precisa acreditar em mim.

Ele não acredita.

— Puta merda, Jeremy! — Aponto lá para cima. — Essa mulher é *louca*! Mente pra você desde o dia em que se conheceram.

Nunca vi tanta desconfiança e ódio no rosto de um ser humano. Seu olhar está me assustando, então me afasto.

— Ela não está fingindo, Lowen. — Ele aponta o segundo andar com as mãos. — Aquela mulher está inválida. Praticamente tem morte cerebral. Você está vendo coisas desde que chegou aqui! — Ele coloca mais roupas dentro da mala, balançando a cabeça. — É impossível!

— Não é impossível. E você sabe que não é. Ela matou Harper e você *sabe* disso. Você suspeitou. — Saio da cama e vou até a porta. — Eu posso provar.

Corro até o escritório de Verity e ele vai atrás de mim. Pego o manuscrito, todas as páginas, e as empurro contra seu peito bem na hora que ele chega.

— Leia isso.

Ele pega as páginas. Olha para elas. Olha de volta para mim.

— Onde encontrou isto?

— É dela. Está tudo aí. Desde o dia em que a conheceu até o acidente de carro. *Leia*. Leia pelo menos os dois últimos capítulos, não importa. Só, por favor, *leia*. — Estou exausta e não consigo fazer nada além de implorar. — Por favor, Jeremy. Pelas meninas.

Ele ainda está me olhando com uma cara de quem não acredita em uma palavra do que estou dizendo. Nem precisa. É só ler essas páginas e ele vai saber que não é comigo que precisa se preocupar. Jeremy finalmente vai descobrir o que a esposa estava pensando quando vivia com ele.

Sinto o medo percorrendo meu corpo. Medo de perdê-lo. Ele acha que estou louca, que estava tentando machucar sua mulher. Quer que eu vá embora desta casa. Quer que eu vá embora e nunca mais apareça.

Meus olhos ardem e as lágrimas começam a escorrer pelo rosto.

— Por favor — sussurro. — *Por favor*. Você merece saber a verdade.

23

Espero um tempo até que ele leia tudo. Fico sentada na cama, aguardando. A casa está mais silenciosa do que nunca. Mas é angustiante a calma que precede a tempestade.

Olho para minha mala, imaginando se ele ainda vai querer que eu vá embora depois de tudo isso. Durante todo o tempo em que estive aqui, mantive o manuscrito em segredo. Talvez ele nunca me perdoe por isso.

Mas sei que nunca vai perdoar Verity.

Meus olhos se voltam para o teto ao ouvir uma pancada. Não foi alto, mas parece que veio do quarto onde Jeremy está. Ele não está lá há muito tempo, mas foi o suficiente para folhear o manuscrito e descobrir que Verity não é bem a mulher que ele pensava.

Ouço choro. É baixo e silencioso, mas eu o escuto.

Viro de lado, abraço o travesseiro e fecho os olhos. Odeio pensar em quanto ele deve estar sofrendo ao ler páginas e páginas de uma verdade tão dura que nunca deveria ter sido escrita.

Ouço passos no andar de cima. Ele não ficou lá tempo suficiente para ler o manuscrito inteiro, mas entendo. Se fosse Jeremy, também teria pulado para o fim para saber o que realmente aconteceu a Harper.

Ouço uma porta se abrir. Corro para o escritório e olho o monitor.

Jeremy está no batente da porta do quarto de Verity, olhando para ela. Consigo ver os dois pelo monitor.

— Verity.

Ela não responde, obviamente. Não quer que ele saiba que é uma ameaça. Ou talvez esteja mentindo porque tem medo que ele a entregue à polícia. Seja qual for a razão, tenho a impressão de que Jeremy não vai sair daquele quarto sem as respostas que busca.

— Verity — diz, chegando mais perto dela. — Se não me responder, vou ligar para a polícia.

Ela continua sem responder. Ele anda até ela e abre uma de suas pálpebras. Olha para ela por um momento, depois vai andando até a porta.

Ele não acredita em mim.

Mas então ele para. Como se estivesse se questionando o que acabou de ler. Então ele se vira e caminha novamente até ela.

— Quando eu sair deste quarto, vou levar seu manuscrito para a polícia. Vou te colocar na prisão e você nunca mais vai me ver, ou Crew, se não abrir os olhos e me disser o que está acontecendo nesta casa.

Vários segundos se passam. Não estou nem respirando, esperando que ela se mexa. Se ela se mexer, Jeremy vai saber que estou falando a verdade.

Solto um grunhido quando os olhos dela se abrem. Cubro a boca com a mão antes que aquilo vire um grito. Estou com medo de acordar Crew. O menino não precisa flagrar esse momento.

O corpo inteiro de Jeremy fica tenso, e ele segura a cabeça com as duas mãos enquanto se afasta da cama, até se encostar à parede.

— Que *porra* é essa, Verity?

Ela começa a balançar a cabeça, impassível.

— Eu precisava fazer isso, Jeremy — diz, sentando-se na cama. Verity está numa posição totalmente defensiva, como se estivesse com medo do que ele pode fazer.

Jeremy ainda não está acreditando. Seu olhar é uma mistura de raiva, traição e confusão.

— Esse tempo inteiro... você estava...?

Ele tenta falar baixo, mas parece que vai explodir de ódio a qualquer momento. Ele libera a raiva dando um soco na porta. Verity estremece.

Ela levanta os braços.

— Por favor, não me machuque. Posso explicar tudo.

— Não te *machucar*? — Jeremy dá dois passos em direção a ela. — Você *matou* nossa filha, Verity.

Posso ouvir a raiva em sua voz, e é pelo monitor. Mas Verity está vendo de camarote. Ela tenta sair da cama e fugir, mas ele não deixa. Jeremy a segura pela perna e a joga de volta na cama. Quando ela começa a gritar, ele cobre sua boca.

Eles lutam. Ela está tentando chutá-lo. Ele está tentando contê-la.

Então as mãos dele vão até a garganta dela.

Não, Jeremy.

Corro para o quarto de Verity, mas paro ao chegar na porta. Jeremy está em cima dela. Os braços de Verity estão debaixo dos joelhos dele, as pernas balançando na cama, os pés entrando embaixo das cobertas enquanto ela arqueja, tentando respirar.

Ela está tentando resistir, mas ele é muito mais forte.

— Jeremy! — Corro até ele e tento tirá-lo de cima dela. Só consigo pensar no futuro dele e de Crew, e em como não vale a pena arruinar uma vida por causa da raiva. — Jeremy!

Ele não me escuta. Ele se recusa a largá-la. Tento olhar no rosto de Jeremy, acalmá-lo, trazê-lo de volta à razão.

— Precisa parar com isso. Está esmagando a traqueia dela. Vão saber que você a matou.

As lágrimas escorrem pelo rosto dele.

— Ela matou nossa filha, Lowen. — Sua voz está cheia de mágoa.

Seguro o rosto dele e tento puxá-lo para mim.

— Pense em Crew — digo, em voz baixa. — Seu filho não vai mais ter um pai se fizer isso.

Ele vai assimilando minhas palavras e vejo sua expressão mudando. Por fim, tira as mãos da garganta dela. Eu me contorço e estou tão sem fôlego quanto Verity. Ela está se debatendo, tentando respirar. Ela tenta falar. Ou gritar. Jeremy cobre sua boca e olha para mim. Em seus olhos há uma súplica. Mas não é uma súplica para que eu vá buscar ajuda. É uma súplica para que o ajude a encontrar uma forma melhor de matá-la.

Não discuto com ele. Ela não merece nem mais um segundo de vida depois de tudo o que fez. Paro e tento pensar em algo.

Se ele tentar estrangulá-la, vão descobrir. Suas digitais estarão na garganta. Se tentar sufocá-la com um travesseiro, partículas do tecido serão achadas no pulmão. Mas precisamos fazer algo. Se não fizermos, ela vai conseguir escapar de alguma forma, do jeito que é manipuladora. Vai acabar machucando Jeremy ou Crew. Vai matá-lo do mesmo jeito que matou a filha. Do mesmo jeito que tentou matar Harper quando criança.

Do mesmo jeito que tentou matar Harper quando criança.

— Tem que fazer parecer um acidente — digo em voz baixa, mas alto o bastante para ouvir por cima dos barulhos que ela está tentando fazer. — Tem que fazê-la vomitar. Depois cubra o nariz e a boca até ela parar de respirar. Assim vai parecer que ela sufocou com o próprio vômito durante o sono.

Jeremy está me olhando com os olhos arregalados, mas compreende. Ele tira a mão que estava cobrindo a boca de Verity e enfia os dedos em sua garganta. Viro para o outro lado. Não consigo olhar.

Ouço o barulho do vômito, depois da asfixia, e parece que não termina nunca. *Nunca*.

Desabo no chão, meu corpo inteiro está trêmulo. Tapo os ouvidos na tentativa de ignorar o som dos últimos suspiros de Verity. De seus últimos movimentos. Depois de um tempo, o som dos pulmões de três pessoas vira o som de dois.

Apenas Jeremy e eu estamos respirando agora.

— Ah, meu Deus, meu Deus, meu Deus... — Não consigo parar de repetir isso quando começo a me dar conta da gravidade do que acabamos de fazer.

Jeremy está em silêncio. Não há nenhum som além de sua respiração. Não quero olhar para Verity, mas preciso saber que acabou.

Seus olhos estão voltados para mim. No entanto, essa é a única vez em que tenho certeza de que ela não está lá, escondendo-se por trás daquele olhar vazio.

Jeremy está de joelhos ao lado da cama. Ele confere o pulso dela e depois deixa a cabeça cair entre os ombros. Ele senta, encostado na cama, enquanto tenta recuperar o fôlego. Segura a própria cabeça com as duas mãos. Não sei se está prestes a chorar, mas eu entenderia se o fizesse. Acabou de ser impactado pela notícia de que a morte de sua filha não foi um acidente. E que sua mulher, a quem dedicou tantos anos de vida, não era a pessoa que ele achava que era. Que ela o manipulou o tempo inteiro.

Todas as boas memórias que ele tinha com a mulher morreram com ela esta noite. As confissões dela o destruíram, dá para ver pelo jeito que ele se contorce agora, tentando processar tudo o que aconteceu nessa última hora de sua vida. A última hora da vida de *Verity*.

Levo a mão à boca e começo a chorar. Não posso acreditar que ajudei a matá-la. *Nós a matamos.*

Não consigo parar de olhar para ela.

Jeremy se levanta e me pega no colo. Estou de olhos fechados e ele me carrega para fora do quarto, descendo as escadas. Quando me coloca na cama, quero que se deite comigo. Que me abrace. Mas ele não faz isso. Começa a andar de um lado para o outro no quarto, balançando a cabeça, resmungando.

Estamos em choque, acho. Quero tranquilizá-lo, mas estou muito assustada para falar, me mover ou aceitar que isso aconteceu de verdade.

— Merda — diz ele. E depois, mais alto. — *Merda!*

É isso. A ficha está começando a cair. Todas as memórias, tudo o que ele acreditava, tudo o que achava que sabia sobre Verity.

Ele olha para mim e vai até a cama. Suas mãos trêmulas acariciam meu cabelo.

— Ela morreu dormindo — diz, com a voz calma e dura. — Tudo bem?

Assinto com a cabeça.

— De manhã... — Sua voz está ofegante, mas ele tenta manter a calma. — De manhã vou ligar para a polícia e dizer que a encontrei quando fui acordá-la. Vai parecer que ela sufocou durante o sono.

Não paro de assentir com a cabeça. Ele me olha com preocupação, empatia, com um pedido de desculpas.

— Eu sinto muito. Sinto muito mesmo. — Jeremy se inclina e me dá um beijo na testa. — Já volto, Low. Preciso dar um jeito no quarto. E preciso esconder o manuscrito.

Ele se ajoelha para olhar nos meus olhos, como que para garantir que estou entendendo.

— Fomos dormir normalmente. Nós dois, por volta de meia-noite. Dei os remédios dela e, quando acordei às sete horas para levar Crew para a escola, eu a encontrei morta.

— Está bem.

— Verity morreu dormindo — repete Jeremy. — E nós nunca mais vamos falar sobre isso novamente depois desta noite. Depois deste momento. Agora.

— Tudo certo — sussurro.

Ele suspira, aliviado.

— Tudo certo.

Depois que ele sai do quarto, ouço-o levando coisas para lá e para cá, primeiro no quarto dele, depois no quarto de Crew, no quarto de Verity, depois no banheiro.

Ele vai até o escritório e depois até a cozinha.

Agora está comigo na cama. Está me abraçando. Ele me abraça mais forte do que nunca. Não dormimos. Estamos com medo do que vai acontecer de manhã.

24

Sete meses depois.

Verity morreu dormindo há sete meses.

Foi muito difícil para Crew. Para Jeremy também, pelo menos publicamente. Eu fui embora para Manhattan na manhã em que ela morreu. Jeremy tinha muita coisa para resolver, e seria muito suspeito se eu continuasse na casa dele depois da morte da mulher.

Meu argumento para o romance foi aprovado, assim como os dois argumentos seguintes. Entreguei o primeiro rascunho do primeiro livro há duas semanas. Pedi uma extensão no prazo para os próximos dois livros. Vai ser difícil trabalhar neles tendo uma recém-nascida em casa.

Ela ainda não chegou. Só deve nascer daqui a dois meses e meio. Mas estou confiante de que vou conseguir colocar o trabalho em dia com a ajuda de Jeremy. Ele é ótimo com Crew, era ótimo com as meninas, então tenho certeza de que vai ser ótimo com nossa bebê.

Ficamos chocados no começo, embora não tenha sido realmente uma surpresa. Essas coisas acontecem quando não se toma cuidado.

Fiquei preocupada em como Jeremy reagiria: ser pai de novo depois de perder duas filhas em tão pouco tempo. Mas depois de ver a animação de Jeremy, percebi que Verity estava errada. Perder um filho, ou até mesmo dois, não significa perder todos. O luto de Jeremy está separado de sua alegria pelo nascimento de uma nova filha.

Depois de tudo o que passou, ele ainda é a melhor coisa que aconteceu na minha vida. É paciente, atencioso e um amante ainda melhor do que Verity poderia ter descrito. Depois da morte dela, quando voltei para Manhattan, Jeremy me ligava todos os dias. Fiquei longe por duas semanas, até que tudo estivesse começando a se ajeitar.

Quando ele me pediu para voltar, eu regressei na mesma noite. Desde então, estamos juntos todos os dias. Sabemos que estamos apressando as coisas, mas estava difícil ficar separados. Acho que minha presença o confortava, então não nos preocupamos com o tempo, ou se nosso relacionamento estava muito intenso muito rápido. Na verdade, não falamos sobre isso. A definição da nossa relação não precisava de palavras. Foi tudo orgânico. Estávamos apaixonados, e só isso importava.

Ele decidiu vender a casa logo depois que descobrimos que eu estava grávida. Não queria ficar na mesma cidade onde Verity e ele viveram. E, honestamente, eu não queria ficar numa casa com tantas memórias terríveis. Começamos do zero há três meses, na Carolina do Norte. Com o adiantamento pelos livros e o seguro de vida de Verity, conseguimos comprar à vista uma casa na praia de Southport. Toda noite, nós três nos sentamos no deque da casa nova e ficamos admirando as ondas batendo na costa.

Somos uma família agora. Não é a família original de Crew, mas sei que Jeremy está feliz por eu estar na vida do menino. E ele vai ser um irmão mais velho em breve.

Crew parece estar se adaptando bem. Nós o colocamos na terapia. Embora Jeremy ache às vezes que isso pode fazer mais mal do que bem, sempre o lembro de quanto a terapia me ajudou quando criança. Acho que Crew vai esquecer as memórias ruins facilmente. É só criarmos memórias boas para colocar no lugar.

Hoje é a primeira vez que voltamos na casa antiga depois de meses. É meio sombrio, mas necessário. A data do parto está se aproximando e não poderei mais viajar, então estamos aproveitando para limpar a casa. Jeremy já recebeu duas ofertas pelo imóvel, e não queremos ter que dirigir pra cá para esvaziá-la no meu último mês de gravidez.

O escritório foi o cômodo mais difícil de limpar. Havia muita coisa que talvez pudéssemos guardar, mas Jeremy e eu ficamos metade do dia passando tudo pelo picador de papel. Acho que só queremos que essa parte de nossas vidas enfim acabe. Para sempre. E fique esquecida.

— Como está se sentindo? — pergunta Jeremy. Ele entra no escritório e põe a mão em minha barriga.

— Estou bem — digo, sorrindo para ele. — Já está terminando?

— Estou. Só mais algumas caixas na varanda e tudo pronto. — Ele me beija e Crew entra correndo na casa.

— Pare de correr! — grita Jeremy por cima do ombro.

Eu me levanto da cadeira da escrivaninha e a empurro pelo corredor atrás de Jeremy. Ele pega uma das dez caixas que ainda estão na varanda e começa a carregar o carro. Crew passa por mim para ir lá para fora, mas então para e entra de volta na casa.

— Quase esqueci — diz, subindo as escadas correndo. — Preciso pegar minhas coisas no chão do quarto da mamãe.

Olho enquanto ele sobe na direção do quarto. Estava vazio da última vez que chequei. Mas logo em seguida Crew desce as escadas com papéis nas mãos.

— O que são esses papéis?

— Desenhos que fiz para minha mãe. — Ele coloca tudo em minhas mãos. — Esqueci que ela deixava no chão.

Crew corre lá para fora de novo. Olho para os desenhos. Aquele velho sentimento que me acompanhava quando estava nesta casa está de volta. *Medo*. Tudo volta à minha cabeça em flashes. A faca que estava no chão no quarto de Verity. A noite em que a vi no monitor agachada, como se estivesse procurando algo no chão. As palavras de Crew agora mesmo.

Esqueci que ela deixava no chão.

Subo as escadas correndo. Mesmo sabendo que ela está morta e não está lá, ainda fico apavorada ao entrar no quarto. Olho para o chão e há um pedaço de madeira que Crew não colocou no lugar ao tirar os desenhos. Eu me ajoelho para pegar o pedaço de madeira solto.

Há um buraco no chão.

Está escuro. Enfio minha mão lá dentro para ver o que tem. Tiro uma coisa pequena. *Uma foto das meninas*. Tiro uma coisa gelada. *A faca*. Ponho a mão novamente e encontro um envelope. Abro e tiro uma carta. A primeira página está em branco. Solto um suspiro e viro para a segunda página.

É uma carta escrita à mão para Jeremy. Cheia de medo, começo a ler.

Querido Jeremy,

Espero que seja você lendo esta carta. Se não for, espero que seja entregue a você, porque tenho muito a dizer.

Quero começar pedindo desculpas. Estou certa de que, quando estiver lendo isso, terei fugido com Crew no meio da noite. Só de pensar em deixá-lo sozinho nesta casa onde compartilhamos tantas memórias já me machuca. Tivemos uma vida tão linda com nossos filhos. Um com o outro. Mas somos Crônicos. Devíamos ter imaginado que nossa dor não acabaria depois da morte de Harper.

Depois de anos sendo a esposa perfeita, nunca imaginei que seria minha carreira, essa que amo e à qual dedico boa parte do meu tempo, a responsável por acabar com tudo entre nós.

Nossa vida era perfeita até que entramos numa espécie de universo paralelo no dia em que Chastin morreu. Queria me esquecer do dia em que tudo começou a dar errado, mas fui amaldiçoada com uma memória muito boa.

Estávamos em Manhattan jantando com Amanda, minha editora. Você estava usando aquele suéter cinza que eu adorava — aquele que sua mãe te deu de Natal. Meu primeiro livro tinha acabado de sair e eu havia assinado um contrato para outros dois com a Pantem. Esse era o motivo do jantar. Estava discutindo o próximo livro com Amanda. Não sei se você ignorou essa parte da conversa, mas imagino que sim. Conversas de escritores sempre te deixaram entediado.

Eu dizia a Amanda que estava preocupada porque não tinha muita certeza sobre que abordagem usar no novo livro. Devia escrever algo diferente? Ou manter a fórmula que fez sucesso no primeiro livro e escrever sob a perspectiva do vilão?

Ela sugeriu que eu mantivesse a fórmula, mas queria que eu fosse ainda mais ousada no segundo livro. Eu disse a ela que era difícil construir uma voz autêntica que fosse tão diferente de mim, de como penso na vida real. Estava achando que não conseguiria melhorar minhas habilidades para o próximo livro.

Foi então que ela me disse para tentar fazer um exercício que aprendeu na faculdade, chamado "diário do antagonista".

Teria sido um ótimo momento para prestar atenção na conversa, mas você estava no telefone, provavelmente lendo um e-book de alguém que não era eu. Você percebeu que eu estava te encarando e me olhou de volta, mas dei um sorriso. Não estava irritada. Estava feliz por você estar lá pacientemente esperando enquanto eu pegava dicas com minha nova editora. Você começou a apertar minha perna por baixo da mesa e eu voltei a olhar para Amanda, mas minha atenção ficou na sua mão, desenhando círculos no meu joelho. Mal podia esperar para voltar para casa naquela noite; seria a nossa primeira sem as meninas. Mas também estava muito interessada nas dicas de Amanda.

Ela disse que o diário do antagonista era uma ótima maneira de melhorar minhas habilidades de escrita. Segundo ela, para entrar de verdade na mente de um personagem mau, a técnica era escrever um diário da minha própria vida... coisas que realmente aconteceram... mas fazer com que o diálogo interno do personagem fosse o oposto do que eu realmente estava pensando na hora. Ela me disse para começar pelo dia em que nos conhecemos. Sugeriu descrever o que eu estava vestindo, onde nos conhecemos e sobre o que conversamos naquela noite, mas deixar o diálogo um pouco mais sinistro do que a realidade.

Parecia simples. Inofensivo.

Vou te dar um exemplo de um parágrafo que acabei de escrever aí em cima.

"Olho para Jeremy, esperando que ele esteja prestando atenção. Ele não está. Está olhando a merda do telefone de novo. Este jantar é muito importante para mim. Entendo que não seja muito a cara dele — jantares e encontros chiques em Manhattan —, mas não é como se eu o obrigasse a fazer isso o tempo inteiro. Em vez de prestar atenção, ele está lendo o e-book de algum outro escritor, sendo totalmente desrespeitoso.

Ele lê o tempo inteiro, mas não fica confortável para ler os MEUS livros? É o maior insulto de todos.

Estou com vergonha do comportamento dele, mas sei que preciso disfarçar. Se Amanda notar minha irritação, vai notar também o desrespeito dele.

Jeremy olha para mim e dou um sorriso forçado. Posso deixar a raiva para depois. Volto a prestar atenção em Amanda, torcendo para ela não notar o comportamento de Jeremy.

Alguns segundos depois, ele aperta a minha perna, bem acima do joelho, e congelo com aquele toque. Na maior parte do tempo, aquilo é tudo o que desejo. Mas, neste momento, a única coisa que desejo é um marido que apoie a minha carreira."

Pronto. É fácil assim para um escritor fingir que é outra pessoa.

Assim que voltamos para casa, fui direto para o computador e escrevi sobre a noite em que nos conhecemos. Na versão alternativa, fingi que meu vestido vermelho era roubado. Fingi que estava lá para transar com algum cara rico, o que não é verdade. Você devia me conhecer melhor do que isso, Jeremy.

Acho que não fui muito bem-sucedida em me retratar como a vilã na primeira vez que tentei, então passei a sempre escrever sobre nossos momentos mais marcantes. Escrevi sobre a noite em que você me pediu em casamento, a noite em que descobri que estava grávida, o dia em que as meninas nasceram. A cada vez que escrevia sobre um novo momento, eu me tornava mais hábil em reproduzir a mente de um vilão. Era incrível.

E me ajudou.

Aquilo me ajudou muito e foi a razão de eu ter criado personagens tão assustadores e realistas em meus livros. Era por isso que eles vendiam, porque eu era boa nisso.

Quando terminei o terceiro livro, senti que já dominava a técnica de escrever sob um ponto de vista que não era o meu. Os exercícios me ajudaram tanto que decidi pegar todos os momentos do diário e juntar numa autobiografia que poderia ser usada para ajudar outros autores. Precisei encadear os capítulos numa única história para dar coerência à autobiografia, então levei aquilo ao limite, deixando o texto cada vez mais chocante. Mais perturbador.

Não me arrependo de ter escrito porque minha única intenção era ajudar outros escritores. Só me arrependo de escrever sobre a morte de Harper poucos dias depois que aconteceu. Mas minha mente estava num lugar tão sombrio e, às vezes, o único jeito para um escritor lidar com isso é deixar as trevas jorrarem direto para o teclado. Aquilo foi a minha terapia, mesmo que seja muito difícil para você compreender.

Além disso, nunca achei que você fosse ler. Além do meu primeiro livro, você nunca leu nada do que eu escrevia.

Então por quê? Por que decidiu ler justo esse texto?

A intenção não era que ninguém lesse e acreditasse. Era um exercício. Só isso. Foi uma maneira de lidar com o luto que estava me consumindo e jogar tudo nas batidas do teclado. Colocar a culpa nessa vilã ficcional foi uma das minhas maneiras de aguentar a dor.

Sei que é difícil para você ler esta carta, mas não pode ser mais difícil do que a leitura do manuscrito na noite em que você o encontrou. E se algum dia vamos nos perdoar por tudo isso, precisa continuar lendo até o fim para saber a verdade sobre aquela noite. Não a versão que você descobriu dias depois da morte de Harper.

Quando levei Harper e Crew para o lago naquele dia, estava tentando me divertir com eles. Naquela manhã, você mencionou que eu não brincava mais com eles, e era verdade. Era muito difícil porque eu sentia muita falta de Chastin. Ao mesmo tempo, eu tinha aquelas duas lindas crianças que ainda precisavam de mim. E Harper queria muito ir para a água naquele dia. Era por isso que ela tinha corrido para o quarto chorando, porque eu disse que não podia. Nunca a confrontei por sua falta de emoções, como escrevi no manuscrito. Era só liberdade artística para conduzir a história. Fico ofendida por você acreditar que eu falaria com um dos nossos filhos dessa maneira. Fico ofendida por você acreditar em qualquer coisa escrita naquele manuscrito — ou que eu seria capaz de machucá-los.

A morte de Harper foi um acidente. Foi um acidente, Jeremy. Eles queriam passear de canoa e estava um dia lindo. E, sim, eu devia ter colocado os coletes salva-vidas neles. Mas quantas vezes já tínhamos andado de barco sem os coletes? O lago não era tão fundo. Eu não tinha ideia de que a rede de pesca estava ali. Se não fosse por aquela merda de rede de pesca, eu a teria encontrado e a levado até a borda, e estaríamos rindo daquele dia em que o barco virou.

Não tenho palavras para dizer como sinto muito por não ter feito tudo diferente naquele dia. Se pudesse voltar no tempo, eu o faria. E você sabe disso.

Quando você a tirou da água, eu queria arrancar meu coração e dá-lo a você, porque sabia que você não tinha mais um. Eu não queria mais viver depois de testemunhar a sua angústia. Meu Deus, Jeremy. Perder as duas. As duas.

Eu percebi sua desconfiança alguns dias depois da morte de Harper. Estávamos na cama e você começou a me fazer todas aquelas perguntas. Não conseguia acreditar que você estava cogitando a possibilidade de eu ter feito algo assim de propósito. E mesmo que tenha sido um pensamento efêmero, era quase como se eu conseguisse ver seu amor por mim se esvaindo, como se nunca tivesse existido. Todo o nosso passado... todos os momentos maravilhosos que passamos juntos. Tudo aquilo sumiu.

Porque, sim, eu disse a Crew para prender a respiração. Disse isso na hora que a canoa virou. Estava tentando ajudá-lo. Pensei que Harper ficaria bem porque já tínhamos brincado na água tantas vezes. Então foquei em Crew na hora que caímos da canoa. Quando eu o segurei, ele estava em pânico, então fui nadando o mais rápido que podia para a margem, antes que nos afundasse. Não havia passado nem trinta segundos quando percebi que Harper não tinha vindo atrás da gente.

Até hoje, me sinto culpada. Eu era a mãe dela. Eu devia protegê-la. E eu presumi que ela ficaria bem, então me concentrei em Crew por longos trinta segundos. Quando percebi, tentei voltar para encontrá-la, mas a canoa tinha ido para mais longe por causa da agitação na água. Não sabia nem onde ela havia afundado, e Crew ainda estava se debatendo, em pânico. Eu sabia que, se não fosse com ele para a margem, nós três morreríamos afogados.

Procurei por ela com todas as minhas forças, Jeremy. Precisa acreditar em mim. Cada centímetro do meu corpo se afogou naquele lago junto com ela.

Não a culpo por desconfiar de mim. Se fosse o contrário, e Harper estivesse sob sua supervisão, provavelmente eu também me daria o direito de explorar todos os cenários possíveis. É natural esperar o pior das pessoas, mesmo que a desconfiança dure apenas um segundo.

Pensei que você perceberia o quão ridícula tinha sido sua acusação no dia seguinte. Eu nem tentei argumentar naquela noite porque estava sofrendo muito para discutir. Harper tinha morrido havia poucos dias e, sinceramente, eu mesma só queria morrer. Queria entrar naquele lago e me juntar a ela, porque tinha sido culpa minha. Foi um acidente, sim. Mas se eu tivesse colocado um colete nela, ou se tivesse conseguido segurá-la junto com Crew, ela ainda estaria viva.

Não conseguia dormir, então fui para o escritório e abri o computador pela primeira vez em seis meses.

Tente imaginar por um momento. Uma mãe de luto pela morte das duas filhas escrevendo um texto de ficção em que acusava uma criança de ter matado a outra.

Era muito perturbador. Eu tenho noção disso, e é por isso que não parei de chorar o tempo inteiro enquanto digitava. Mas pensei que, talvez, se jogasse toda a minha culpa e meu sofrimento naquela vilã da ficção que eu havia criado, aquilo me ajudaria de alguma maneira bizarra.

Escrevi tudo sobre a morte de Chastin. Escrevi tudo sobre a morte de Harper. Fui até o início do manuscrito e coloquei alguns presságios do que aconteceria, para fazer sentido com nossa realidade sombria. E, de certa forma, culpar aquela versão fictícia de mim mesma, em vez de aceitar a culpa na vida real, ajudou a aliviar uma pequena parte da responsabilidade e da dor.

Não posso explicar a mente de uma escritora para você, Jeremy. Especialmente uma escritora que já passou por mais tragédias do que a maioria dos outros escritores juntos. Temos a capacidade de separar a nossa realidade e a ficção. É quase como se vivêssemos nos dois universos, mas nunca ao mesmo tempo. Meu universo real tinha ficado tão sombrio que eu não queria viver nele naquela noite. Foi por isso que escapei e passei a noite escrevendo sobre um universo ainda mais sombrio. A cada vez que eu trabalhava no texto da autobiografia, eu sentia alívio ao fechar o computador. Sentia alívio ao sair do meu escritório, fechar a porta e deixar todo o mal que eu havia criado lá dentro.

Foi isso. Eu precisava que a versão imaginária do meu mundo fosse pior do que a real. Porque, se não fosse isso, eu não ia querer mais viver em nenhum dos dois mundos.

Depois de passar a noite e parte da manhã trabalhando no manuscrito, finalmente cheguei à última página. Senti que o manuscrito estava terminado porque, afinal de contas, o que mais eu poderia acrescentar? Era como se nosso universo estivesse terminado. Fim.

Imprimi e guardei numa caixa, imaginando que um dia eu voltaria àquilo. Talvez incluísse um epílogo. Talvez eu simplesmente o queimasse. O que quer que eu fizesse, não estava esperando que você fosse ler. Não esperava que você fosse acreditar.

Depois de passar a noite em claro escrevendo, dormi durante a maior parte do dia. Quando finalmente acordei, à noite, não conseguia te encontrar. Crew já estava dormindo, mas você não estava com ele. Estava parada no meio do corredor tentando imaginar para onde você tinha ido quando ouvi um barulho no meu escritório.

Você estava fazendo aquele barulho. Não sei muito bem que tipo de som era aquele, mas foi pior do que das duas vezes em que descobrimos que as meninas haviam morrido. Andei em direção ao escritório para consolá-lo, mas parei antes de abrir a porta porque seu choro se transformou em ódio. Algo foi atirado na parede. Dei um pulo para trás tentando entender o que estava acontecendo.

Foi aí que me lembrei do computador. A autobiografia tinha sido o último arquivo que eu abri.

Abri a porta para explicar sobre o que você tinha acabado de ler. Nunca vou me esquecer da sua expressão ao olhar para mim naquele dia. Era uma total e completa... aflição.

Não era como a tristeza de alguém que acabou de descobrir a morte da filha. Era uma tristeza devastadora, como se cada memória feliz da nossa família tivesse sido apagada pelas palavras do manuscrito. Apagada. Não havia nada dentro de você que não fosse ódio e destruição.

Balancei a cabeça e tentei falar. Queria dizer: "Não, não é verdade, Jeremy. Está tudo bem. Não é verdade." Mas tudo que consegui dizer foi um "Não" patético e cheio de medo.

Quando me dei conta, você já estava me arrastando pelo pescoço para o quarto. Eu não era páreo para a sua força. Você segurava meus braços com os joelhos e apertava minha garganta cada vez mais forte.

Se você tivesse me dado cinco segundos... apenas cinco segundos para explicar, eu poderia ter nos salvado. Tentei muitas vezes dizer: "Por favor, me deixe explicar", mas eu não conseguia respirar.

Não sei muito bem qual foi a sequência dos acontecimentos depois disso. Sei que desmaiei. Talvez você tenha entrado em pânico ao perceber que quase me matou. Se eu tivesse morrido naquela cama, você teria sido preso por assassinato. Crew não teria um pai.

Acordei no banco do carona do meu Range Rover e você estava dirigindo. Eu estava amordaçada com uma fita. Meus pés e mãos estavam amarrados. Mais uma vez, eu só queria explicar que aquilo tudo não era verdade. Mas eu não conseguia falar. Olhei para baixo e percebi que não estava com cinto de segurança. Então, naquele momento, entendi o seu plano.

Era uma frase do manuscrito! Eu dizia que poderia desativar o airbag do passageiro, deixar Harper no banco do carona sem cinto e bater com o carro numa árvore. Assim a morte dela pareceria um acidente.

Você ia me matar e fazer parecer um acidente. Sem querer, eu tinha traçado o meu destino nas últimas frases do manuscrito.

Se esse for o caso... que seja.

Eu jogo meu carro numa árvore.

Eu me dei conta naquele momento que, se algum dia alguém desconfiasse da minha morte, tudo o que precisava fazer era mostrar o manuscrito. Se eu morresse, aquela seria a carta de suicídio perfeita.

Claro, nós dois sabemos como essa parte da história terminou. Imagino que você tenha tirado a mordaça e me desamarrado, me colocado no banco do motorista e voltado para casa, esperando a ligação da polícia avisando que eu morri.

Mas seu plano não funcionou muito bem. Nem sei se fico aliviada por isso. Acho que teria sido mais fácil morrer no acidente, porque fingir que estou machucada tem sido bem difícil. Certamente você está se perguntando por que estou fazendo isso há tanto tempo.

Tenho pouquíssimas memórias do primeiro mês que se seguiu à morte de Harper. Imagino que eu estivesse em coma induzido por causa do inchaço no cérebro. Mas me lembro claramente do dia em que acordei. Graças a Deus estava sozinha no quarto, o que me deu tempo para pensar no que fazer em seguida.

Como eu ia explicar que cada uma daquelas palavras negativas que você leu eram mentira? Você não acreditaria se eu desmentisse o manuscrito porque, afinal, eu o tinha escrito. Aquelas eram as minhas palavras, mesmo que não fossem reais. Quem acreditaria que aquilo tudo era mentira? Certamente não alguém que não entende o processo de escrita. E se você soubesse que eu estava recuperada, ia me entregar para a polícia. Tenho certeza de que teria havido uma investigação depois da morte de Harper se não fosse o acidente. E com meu próprio marido contra mim, certamente eu seria condenada pelo assassinato dela. Você usaria minhas próprias palavras contra mim.

Durante três dias, fingi que ainda estava em coma quando alguém entrava no quarto. Médicos, enfermeiros, você, Crew. Mas me descuidei um dia, e você me pegou de olhos abertos no quarto do hospital. Ficou olhando para mim. Olhei para você. Vi você cerrando os punhos, com raiva porque eu tinha acordado. Parecia que queria subir em cima de mim e apertar minha garganta de novo.

Você andou em minha direção, mas decidi não te seguir com o olhar, porque estava com medo. Se eu fingisse estar alheia ao mundo à minha volta, talvez você não tentasse me matar de novo. Talvez não fosse à polícia para dizer que eu tinha me recuperado.

Então continuei fingindo por semanas, porque achei que era a única maneira de sobreviver. Decidi fingir que estava com dano cerebral até conseguir bolar um plano para consertar a situação.

Não pense que foi fácil. Foi humilhante muitas vezes. Quis desistir. Quis me matar. Quis te matar. Estava com muita raiva por tudo ter terminado daquele jeito, por você acreditar que aquele manuscrito pudesse ser verdade depois de tantos anos de casamento. Sério, Jeremy! Os homens acham mesmo que as mulheres são tão obcecadas por sexo? Era ficção! É claro que eu adorava transar com você, mas, na maior parte das vezes, era só para te agradar! Isso é o que casais fazem um pelo outro. Não era porque eu não conseguia viver sem.

Você foi um bom marido para mim e, apesar do que você acredita ou não, eu fui uma boa esposa também. Você ainda é um bom marido para mim. Acredita do fundo do coração que eu matei nossa filha e, mesmo assim, continua cuidando de mim. Talvez porque acha que não estou mais aqui — que todo o meu lado mau morreu naquele acidente e agora eu sou apenas alguém de quem você sente pena. Acho que é por isso que me trouxe para casa. Depois de tudo o que Crew passou, seu coração é muito bom para deixá-lo longe de mim. Você sabe que, depois de perder as duas irmãs, perder a mãe seria devastador para ele.

Apesar do que está escrito no manuscrito, seu amor por nossos filhos sempre foi sua característica de que mais gosto.

Houve momentos nos últimos meses em que quis te contar que estou aqui. Que sou eu. Que estou bem. Mas seria um desperdício do meu fôlego. Não podemos sobreviver a duas tentativas de assassinato, Jeremy. E sei que, caso você descubra que estou fingindo, sua terceira tentativa de me matar vai acabar sendo bem-sucedida.

Não estou fazendo tudo isso para tentar fazer você mudar de ideia, ou provar que está errado. Você nunca mais vai confiar em mim de novo.

Tudo que estou fazendo é por Crew. Só penso no meu menininho. Tudo o que fiz desde o dia em que acordei no hospital é por Crew. Ainda que eu não queira afastá-lo de você, não tenho escolha. Ele é meu filho e precisa ficar comigo. Ele é o único que sabe que estou aqui. Sabe que ainda tenho pensamentos, uma voz e um plano. Fico segura em ser eu mesma com ele, porque ele só tem 5 anos. Se ele disser a você que nós conversamos, você vai achar que é imaginação ou até mesmo o trauma depois de tudo o que aconteceu.

É por causa dele que procurei tanto por esse manuscrito. Sei que, se algum dia você nos encontrar depois que eu fugir, vai tentar usá-lo contra mim. Vai tentar fazer Crew acreditar nele, como você acredita.

Na primeira noite depois que voltei do hospital para casa, fui até o escritório para apagar o manuscrito do computador, mas você já tinha feito isso. Tentei encontrar a cópia impressa, mas já não sabia mais onde estava. Depois do acidente, tive alguns lapsos de memória, e esse era um deles. Mas sabia que tinha que me livrar dele para que você não o usasse contra mim.

Sempre que tinha uma chance, procurava o manuscrito em todos os lugares, o mais silenciosamente possível. No escritório, no porão, no sótão. Até procurei no quarto algumas vezes enquanto você dormia. Sabia que não podia fugir com Crew antes de destruir aquela prova que você usaria contra mim.

Também precisava encontrar um jeito de conseguir dinheiro. Mas não sabia muito bem como, não dava para sair dirigindo até o banco. Quando ouvi suas conversas com a Pantem Press sobre a ideia brilhante deles para continuar a série com um novo autor, sabia que aquela era a minha chance.

Quando contratou uma enfermeira noturna e viajou para a reunião em Manhattan, entrei no escritório e abri uma nova conta no banco pela internet.

Dias depois da reunião, a nova autora já estava se mudando para cá para começar a escrever a série. Era uma questão de tempo até que o pagamento dos três livros restantes caísse na conta, eu pudesse transferir para a minha nova conta e fugir daqui com Crew.

Só me resta esperar pela melhor oportunidade, mas a nova coautora está deixando as coisas difíceis. De alguma forma ela encontrou o manuscrito que eu procurava. Certamente você achou que teria se livrado dele ao apagar do computador. Mas não. Agora são dois contra mim. Não me importo mais em destruir o manuscrito a essa altura. Só quero ir embora daqui.

Eu admito, ela está ficando desconfiada por minha culpa. Sei que fica assustada quando percebe que estou olhando para ela, mas é difícil evitar. Essa mulher entrou em nossa vida, está assumindo o controle da minha carreira, está se apaixonando por você. E, pelo que estou vendo, você está se apaixonando por ela também.

Ouvi vocês dois transando no nosso quarto agora há pouco. Por mais que esteja magoada, estou igualmente irritada. No entanto, você está tão ocupado com ela agora que me pareceu o momento mais seguro para escrever esta carta. Tranquei a porta do quarto principal, assim vou ouvir quando vocês tentarem sair. Vai me dar tempo para escrever esta carta e voltar para o meu lugar antes que você suba para o segundo andar.

Está sendo difícil, Jeremy, não vou mentir. Tudo isso. Saber que você acreditou mais naquelas palavras do que em todas as minhas ações ao longo do nosso casamento. Saber que preciso me humilhar dessa maneira para evitar ser condenada pelo crime mais abominável que uma mãe poderia cometer. Saber que você se apaixonou por outra mulher enquanto passo meus dias fingindo estar alheia ao que nossa vida se transformou.

Mas continuo insistindo porque tenho certeza de que vou conseguir sair daqui assim que o dinheiro cair. É por isso que estou deixando esta carta.

Talvez você a encontre, talvez não.

Espero que encontre. Espero mesmo.

Porque, mesmo depois de tentar me enforcar e bater com meu carro numa árvore, eu não consigo odiar você. Você sempre foi um guardião fervoroso de nossos filhos, exatamente o que os pais devem ser. Mesmo que isso signifique eliminar um dos pais se ele se tornar uma ameaça para as crianças. Você acredita que eu sou uma ameaça para Crew e, ainda que me doa o fato de você acreditar nisso, também me encanta saber o quanto você o ama.

Depois que Crew e eu tivermos ido embora, eu vou te ligar um dia para dizer onde está esta carta. Depois de ler, espero que você consiga me perdoar. Espero que consiga se perdoar.

Não o culpo pelo que fez comigo. Você foi um marido maravilhoso até que não conseguiu mais ser. E foi o melhor pai do mundo, sem dúvida.

Eu te amo. Ainda.

Verity.

25

Deixo a carta cair no chão.

Sinto uma dor e levo a mão à barriga.

Ela não a matou?

Não quero acreditar em nada do que acabei de ler. Quero acreditar que Verity é uma pessoa cruel e mereceu o que fizemos a ela, mas já não tenho tanta certeza.

Ah, meu Deus. E se for verdade? Essa mulher perdeu as duas filhas, o marido tentou matá-la, e... nós *de fato* a matamos.

Paro e fico olhando para a carta, como se ela fosse uma arma com o poder de destruir toda a minha vida com Jeremy. Tem tanta coisa passando pela minha cabeça que preciso massagear as têmporas. Minha cabeça está latejando. *Jeremy já sabia do manuscrito?*

Ele já tinha lido antes de eu entregar a ele? Ele *mentiu* para mim?

Não. Ele nunca negou que sabia da existência dele. Na verdade, lembrando agora daquele momento, suas palavras exatas foram: "Onde você encontrou isso?"

É muita coisa para absorver. Não consigo lidar com tudo o que ela disse e tudo o que aconteceu. Fico olhando para aquela carta por tanto tempo que esqueço onde estou, e que Jeremy e

Crew estão lá embaixo, e que daqui a pouco ele vai aparecer procurando por mim.

Eu me agacho para reunir as páginas. Ponho a faca e a foto de volta no buraco do chão, depois cubro com a madeira. Levo a carta para o banheiro e tranco a porta. Fico de joelhos ao lado do vaso e começo a picar as páginas em pedacinhos. Dou descarga numa parte e ponho na boca todos os pedacinhos que encontro com o nome de Jeremy. Quero ter certeza de que ninguém nunca vai ler uma palavra disso.

Jeremy nunca se perdoaria. *Nunca*. Se ele descobrisse que o manuscrito não era real e que Verity nunca machucou Harper... Ele não sobreviveria àquela verdade. A verdade em que ele matou a esposa inocente. *Nós* matamos sua esposa inocente.

Se aquilo for *mesmo* verdade.

— Lowen?

Dou descarga no restante dos papéis. Aperto a descarga mais uma vez por precaução enquanto Jeremy bate à porta.

— Você está bem?

Abro a torneira e tento acalmar minha voz.

— Estou.

Lavo as mãos e tomo um gole de água para amenizar a secura da boca. Olho no espelho e reconheço o terror em meus olhos. Fecho os olhos e tento apagar. Tudo. Todas as coisas terríveis que testemunhei durante meus 32 anos.

A noite em que me equilibrei na varanda.

O dia em que vi um homem ser esmagado por um caminhão.

O manuscrito.

A noite em que vi Verity parada no topo da escada.

A noite em que ela morreu dormindo.

Apago tudo. Engulo do mesmo jeito que engoli a carta.

Dou um suspiro e então abro a porta e sorrio para Jeremy. Ele me faz um carinho no rosto.

— Você está bem?

Engulo meu medo, minha culpa, minha tristeza. Escondo tudo isso com um aceno de cabeça convincente.

— Tudo certo.

Jeremy sorri.

— Tudo certo — diz, baixinho, entrelaçando os dedos nos meus. — Vamos embora daqui para nunca mais voltar.

Andamos de mãos dadas pela casa e ele só solta na hora de abrir a porta e me ajudar a subir no jipe. Enquanto nos afastamos pela estrada, vejo pelo retrovisor a casa ficando pequena até, finalmente, desaparecer.

Jeremy leva a mão até minha barriga.

— Só faltam dez semanas.

Seus olhos estão cheios de entusiasmo. Um entusiasmo que eu inspirei, mesmo depois de tudo o que ele passou. Eu trouxe luz para as trevas em que ele vivia. Vou continuar sendo essa luz, para que ele nunca se perca nas sombras do passado.

Ele nunca vai saber o que eu sei. Vou me certificar disso. Vou levar esse segredo para o túmulo comigo, para que Jeremy não precise fazê-lo.

Não tenho ideia no que devo acreditar, então por que deixá-lo angustiado? Verity pode ter escrito essa carta para tentar se safar. Pode ser mais um plano para manipular a situação em que todos estão envolvidos.

E mesmo que Jeremy esteja envolvido no acidente de carro, eu não o culpo. Ele acreditava que Verity tinha matado sua filha de propósito. Também não o culpo por ter seguido com o plano de matá-la ao descobrir que estava fingindo os ferimentos.

Qualquer pai no lugar dele teria feito o mesmo. *Devia* ter feito o mesmo. Nós dois acreditávamos que ela era uma ameaça para Crew. Para *nós*.

Não importa para qual lado eu olhe nesta história, está claro que Verity era mestre em manipular a verdade. A única pergunta que fica é: que verdade ela estava manipulando?

Fim

Agradecimentos

Obrigada por se arriscar com esse livro. É um pouco diferente das histórias de amor que costumo escrever, então agradeço por ter embarcado nessa jornada comigo.

A maior parte dos meus livros é publicada pela Atria Books, um braço da Simon & Schuster. Agradeço por tudo o que fizeram por meus livros no passado e pelo que ainda farão no futuro.

Verity, no entanto, é um projeto pessoal e independente, então talvez por isso você não o encontre em formato físico. É um projeto que escrevi e lancei por conta própria, e agradeço muito à Atria Books por essa oportunidade.

Havia um tempo que eu não passava pelo processo de escrever um livro sem as mãos delicadas de uma editora, então tenho muita gente para agradecer. Aguentem firme.

1) Minha mãe. Sempre. A cada livro que escrevo é mais difícil alcançar o nível de entusiasmo que eu tinha ao escrever o primeiro. Minha mãe é uma das pessoas que me proporciona isso. Ela me faz acreditar que tenho uma mente brilhante, quando na verdade é medíocre. Ela me faz acreditar que o livro que estou escrevendo é o melhor que já escrevi na vida — embora fale isso de todos os

livros que escrevo. Às vezes ligo para ela no meio da noite e digo: "Por favor, lê só esse capítulo." E ela lê. Ou pelo menos finge que lê. De qualquer forma, ela me faz ir em frente e é a única razão de eu chegar ao fim de cada livro. Obrigada, mãe. Sua crença em mim me faz acreditar em mim mesma.

2) Meu grupo de Facebook favorito: Colleen Hoover's CoHorts. Já temos quase 50 mil membros, mas ainda parece uma comunidade pequena e acolhedora. Quando alguém está tendo um dia ruim, vocês encorajam. Quando alguém não pode comprar um livro, vocês ajudam. Quando alguém tem algo para comemorar, vocês celebram junto. Não há nada além de amor e apoio nesse grupo, e vou defendê-lo até a morte. Não há espaço para negatividade ou idiotas. Mas temos muito espaço para novos leitores se quiser dar uma olhada. AMO VOCÊS, COHORTS!

3) Lauren Levine. Serei eternamente agradecida por ter feito parte da equipe que deu vida a *Confesse*. E embora tenha sido uma experiência fenomenal ter visto um dos meus livros se tornar uma série de TV, não é nada comparado à sua amizade. Seu apoio é sem precedentes. Algum dia vou retribuir o favor.

4) Tarryn Fisher. Nem sei por onde começar. Sou muito sortuda por ter muita gente que me apoia, mas não tem ninguém que queira mais o meu sucesso do que você. Você vibra com o sucesso dos outros como se fosse o seu. Você é a Tarryn para minha Colleen. Porque você literalmente é.

5) Lin Reynolds. Você é minha irmã favorita.

6) Murphy Fennel. Você também é minha irmã favorita.

7) Para minha avó, Vannoy Gentles. Você é muito fofa por ler um livro como este. É por isso que você vai ganhar a primeira cópia impressa. ;)

8) Para todos aqueles que fazem parte da minha vida por causa do universo literário, mas que estariam nela mesmo se não fosse isso. Chelle Lagoski Northcutt, Kristin Phillips Delcambre, Pamela Carrion, Laurie Darter, Kay Miles, Marion Archer, Jenn Benando, Karen Lawson, Vilma Gonzalez, Susan Gilbert Rossman, Tasara Vega, Anjanette Guerrero, Maria Blalock, Talon Smith, Melinda Knight e mais uns cem de vocês, OBRIGADA por sempre me darem suas opiniões sobre parágrafos, capítulos e livros inteiros. E para todos os que apoiam a minha carreira. Amo cada um de vocês.

9) E. L. James. Sua carreira de sucesso não me impressiona mais do que sua alma. Você é incrível em vários aspectos, mas minha característica favorita é quanto ama e valoriza seus leitores. Você é um exemplo a ser seguido por todos os autores.

10) Kim Holden. Só quero agradecer por ser você. Continue assim. #DoEpic

11) Caroline Kepnes. Anos atrás eu escrevi metade de um livro na segunda pessoa até que minha editora disse que uma de suas outras autoras estava prestes a lançar um livro escrito em segunda pessoa, e que eu deveria reconsiderar. Eu não te conhecia. Eu te xinguei um pouco, porque tive que reescrever metade do meu livro. Quando minha assessora me mandou seu livro para ler, xinguei ainda mais porque era muito bom. E então, de alguma forma viramos amigas depois que eu te mandei uma mensagem ameaçando te assassinar. Acho que nossa amizade teve um começo muito esquisito, mas é por isso que é perfeita. Sou muito grata por ter você na minha vida. Embora eu tenha um pouco de medo da sua mente. Parabéns pela série de TV maravilhosa. Quando VOCÊ chegar à Netflix, vai explodir ainda mais. Estou muito animada por você.

12) Shanna Crawford e Susan Gilbert Rossman, vocês tornam minha vida muito mais organizada do que eu poderia imaginar. O trabalho e a dedicação que têm ao Book Bonanza e ao The Bookworm Box é sem precedentes. Não poderia ter duas pessoas melhores organizando essa metade da minha vida. Obrigada, obrigada, obrigada.

13) Johanna Castillo. Tivemos quase sete anos perfeitos juntos. Parte meu coração que você não seja mais minha editora, mas estou animada por suas novas aventuras. Algo que nunca vai mudar é nossa amizade. Sinto sua falta e mal posso esperar para ver aonde sua jornada vai te levar!

14) Jane Dystel. No começo da minha carreira, eu era um peixe perdido no oceano, sem nenhuma ideia sobre como funcionava esse mercado. Sete anos se passaram e eu AINDA sou um peixe perdido no oceano sem nenhuma ideia de como funciona esse mercado. Mas com você ao meu lado, não preciso me preocupar. Obrigada por cuidar de toda a parte estressante com a qual eu não quero lidar e por resolver tudo perfeitamente como ninguém. Estou mais do que agradecida.

15) Lauren Abramo. Você é uma máquina. Espero que tire uma semana inteira de férias e desligue o telefone. Não conheço ninguém mais dedicada e organizada que você. Sua paciência com minha falta de organização é infinita. Obrigada por tudo o que você faz.

16) Elissa Down. Obrigada por trazer Owen e Auburn à vida em *Confesse*. Você é uma diretora fenomenal e um ser humano fenomenal. Trabalhar com você foi uma experiência incrível, espero que consigamos fazer novamente.

17) Brooke Howard. Simplesmente amo você e tudo a seu respeito. Obrigada por me aguentar.

18) Joy e Holly Nichols. Vocês são duas das minhas pessoas favoritas. Estou muito feliz de tê-las em minha vida.

19) Stephanie Cohen. Basicamente devo tudo a você. Tudo. Você é incrível em vários aspectos e tenho muita sorte por ter cruzado com você. Não consigo imaginar minha vida sem você. Não consigo nem imaginar como eu teria uma carreira se não fosse por você. Você é a epítome do que os seres humanos deveriam tentar ser. É sério! Sei que não é fácil administrar a minha vida, porque eu torno tudo mais difícil do que deveria ser. Mas, por sua causa, não preciso mudar quem eu sou. Obrigada por isso.

20) Erica Ramirez e Brenda Perez. Minha dupla de irmãs favorita e duas das pessoas mais doces que tive o prazer de conhecer. Valorizo muito vocês duas e tenho muita sorte de tê-las na minha vida.

21) Book club. Sei que sou a pior participante de clube do livro, mas obrigada a todos por aquela noite no mês em que a gente se encontra, fala sobre livros e come bolo. É minha noite favorita do mês.

22) Melinda Knight. Sou muito grata a você e a toda a sua família. Agradeço muito por tudo o que fizeram para nossa iniciativa de caridade. Estou muito feliz por Cale e Emma terem um ao outro. Agora pode se mudar logo para Hopkins County.

23) Tiffanie DeBartolo. Obrigada por seus livros e pelo gosto musical excelente. Você é a pessoa que procuro quando preciso descobrir boa arte.

24) Kim Jones. Obrigada por... bem... talvez eu me lembre quando for escrever os agradecimentos do meu próximo livro.

25) Social Butterfly, Murphy Rae, Marion Making Manuscripts, Karen Lawson, Elaine York. Obrigada pela edição,

o marketing, o design de capa, a formatação e todo o trabalho que tiveram com este livro.

26) Shannon O'Neill. Obrigada por tudo o que fez pelo The Bookworm Box e pela comunidade literária em geral. Você é uma estrela dessa indústria.

27) KA Tucker. Ainda quero colaborar com você num livro, então já estou agradecendo desde já por você ter topado. Já me disseram que quando você joga as coisas no mundo, elas acontecem. Então estou aqui jogando nossa colaboração no mundo pra ver se ela acontece.

28) Tillie Cole. Sei que não nos conhecemos muito bem, mas quero te agradecer pelos seus stories no Instagram. Assistir você falando é como uma terapia para mim. Você inclusive deveria me cobrar pelas sessões de terapia que eu economizei agora que tenho seus stories.

29) Jenn Sterling. Preciso de mais cartões postais para o meu computador, Jenn. Providencie. Estou com saudades de você. Estou muito feliz por te ver feliz.

30) Abbi Glines. Obrigada por tudo o que fez por mim neste ano. Sei que não é fácil ficar afastada de sua linda família, mas sempre serei grata pela sua amizade e pelo seu tempo. Você é uma *rockstar*.

31) Ariele Fredman Stewart. Obrigada por me deixar roubar um de seus nomes. Você não devia ter um gosto tão bom para nomes e um gosto tão ruim para amigas. Eu te amo.

32) Kathryn Perez. O modo com que lidou com o último ano foi absolutamente inspirador. Obrigada por ser você, por me apoiar e por ser tão positiva num mundo que muitas vezes torna isso difícil.

33) BB Easton. Dê um oi para o Ken por mim?

34) Dina Silver. Seu gato é um idiota.

35) Kendall Ryan. Obrigada por encontrar um tempo na sua agenda ocupada para me dar conselhos e incentivo. Agradeço mais do que você imagina.

36) Levi, Cale and Beckham. Amo vocês demais. Vocês me deixam orgulhosa todos os dias. Por favor, não leiam este livro.

37) Heath Hoover. Você também não está autorizado a ler este livro. Eu te amo e gostaria de continuar casada com você.

38) Obrigada aos blogueiros. É muito inspirador o quanto vocês se dedicam às nossas carreiras simplesmente porque amam os livros. Desculpem por ter feito uma bagunça com as provas deste livro. Isso acontece quando você está a quatro dias do lançamento e ainda não terminou o texto. Vou fazer melhor da próxima vez, eu juro. Obrigada por TUDO.

39) Paratodomundoqueestálendoessesagradecimentos. Se estiver aqui porque odiou este livro ou porque o amou, o importante é que você está lendo. Obrigada por isso. Agora que terminou este, vá devorar outro. <3

40) Para Vance Fite, o homem que me criou desde os quatro anos de idade. Você foi e ainda é uma grande inspiração. Sinto sua falta. Todos nós sentimos.

“Mesmo com toda a falsidade, a labuta e
os sonhos não realizados,
ainda assim é um belo mundo.”

— *Desiderata*, de Max Ehrmann

Este livro foi composto na tipografia Adobe Caslon Pro, em corpo 11/16, e impresso em papel off-white no Sistema Cameron da Divisão Gráfica da Distribuidora Record.